AF218693

ACCESO GRATIS a la Lectura en la Nube

Para visualizar el libro electrónico en la nube de lectura envíe junto a su nombre y apellidos una fotografía del código de barras situado en la contraportada del libro y otra del ticket de compra a la dirección:

ebooktirant@tirant.com

En un máximo de 72 horas laborales le enviaremos el código de acceso con sus instrucciones.

La visualización del libro en **NUBE DE LECTURA** excluye los usos bibliotecarios y públicos que puedan poner el archivo electrónico a disposición de una comunidad de lectores. Se permite tan solo un uso individual y privado

TRANSEXUALISMO Y SALUD INTEGRAL DE LA PERSONA

TRANSEXUALISMO Y SALUD INTEGRAL DE LA PERSONA

JOSÉ LÓPEZ GUZMÁN

tirant lo blllanch
Valencia, 2016

En caso de erratas y actualizaciones, la Editorial Tirant lo Blanch publicará la pertinente corrección en la página web www.tirant.com.

La publicación de este libro ha sido posible gracias al Proyecto de Investigación Internacional PIUNA Derechos Humanos y Género.

© José López Guzmán

© TIRANT LO BLANCH
  EDITA: TIRANT LO BLANCH
  C/ Artes Gráficas, 14 - 46010 - Valencia
  TELFS.: 96/361 00 48 - 50
  FAX: 96/369 41 51
  Email:tlb@tirant.com
  www.tirant.com
  Librería virtual: www.tirant.es
  DEPÓSITO LEGAL: V-1693-2016
  ISBN: 978-84-9143-080-3
  IMPRIME: Guada Impresores, S.L.
  MAQUETA: Tink Factoría de Color

Si tiene alguna queja o sugerencia, envíenos un mail a: *atencioncliente@tirant.com*. En caso de no ser atendida su sugerencia, por favor, lea en *www.tirant.net/index.php/empresa/politicas-de-empresa* nuestro Procedimiento de quejas.

Índice

1. INTRODUCCIÓN

Todos los seres humanos nacen con una *identidad biológica genética propia*[1], que se hereda de los padres y no cambia a lo largo de su vida[2]. Esa herencia también determina su *sexo biológico*[3]. El sexo biológico está establecido desde el momento de la fertilización por los gametos del padre y la madre. Ese sexo está presente en cada una de las células del individuo que, en este caso, están determinadas por los cromosomas sexuales XX en el caso de las mujeres y XY en el de los varones. «Esta información genética será la responsable de que se desarrolle un cuerpo (gónadas, órganos sexuales internos y genitales externos), un cerebro (estructuras y densidad de neuronas) y conductas (habilidades motoras y sensoriales) con características diferentes para el hombre y para la mujer, a esto se le conoce como *dimorfismo sexual*»[4]. «El desarrollo armónico, que aporta y mantiene la identidad personal, permite que coincida el sexo cerebral y psicológico con el corporal»[5]. En esa identidad también hay que considerar factores

---

[1] Esa identidad biológica genética dice quien es ese sujeto y quienes son sus padres. Este punto puede consultarse en: López Moratalla N, Iraburu Elizalde MJ. Los quince primeros días de una vida humana. Pamplona: Eunsa; 2004.

[2] «La determinación sexual tiene lugar en el momento de la fecundación. La diferenciación sexual comienza en esa etapa y continúa a lo largo de toda la vida. Ambos procesos están regulados por más de 50 genes diferentes localizados en los cromosomas sexuales, algunos, y en los autosomas, otros». Camps Merlo M. Identidad sexual y Derecho. Pamplona: Eunsa, 2007; 42.

[3] Según el Diccionario de la Lengua Española *dimorfismo* es la condición de las especies animales o vegetales que presentan dos formas o dos aspectos anatómicos diferentes. Los seres vivos, tanto en el reino animal como en el vegetal, presentan un dimorfismo sexual, una división entre machos y hembras. División excluyente a la vez que complementaria.

[4] Orozco G, Ostrosky-Solis F, Salin RJ, Borja KC, Castillo G. Bases Biológicas de la orientación sexual: un estudio de las emociones en transexuales. Revista Neuripsicología, Neuropsiquiatría y Neurociencias 2009; 9 (1): 10.

[5] López Moratalla N. La identidad sexual: personas transexuales y con trastornos del desarrollo gonadal. Cuadernos de Bioética 2012; XXIII: 347. Balthasar mantiene que «hasta la última célula del cuerpo masculino es masculina y del femenino es femenina, análogamente, la entera experiencia y autoconciencia empírica también lo son». Balthasar HU. Le persone nel dramma (Vol. II). Milán: Jaca Book, 1982; 345.

sociales que identifican ciertas acciones, gestos o colores con uno u otro sexo, pudiéndose hacer alusión a un *rol de género*. La identidad sexual se continuará construyendo con posterioridad al nacimiento y a lo largo de las distintas etapas de la vida[6].

En las personas transexuales se produce una fractura en ese equilibrio: son una cosa y se sienten otra. Es decir, la transexualidad, o *trastorno de la identidad de género*, se puede definir como el sentimiento de inadecuación con el sexo biológico y una identificación constante y persistente con el sexo opuesto[7]. Harry Benjamín, investigador que popularizó el término transexual, realizó una afirmación, en junio de 1976, que debe ser tenida en consideración para entender muchas de las comentarios que se sucederán en las siguientes páginas: «me gustaría recordar un hecho importante y fundamental: la diferencia entre sexo y género. Sexo es lo que se ve. Género es lo que se siente. La armonía entre ambos es esencial para la felicidad humana»[8].

Aunque en todas las épocas ha habido personas que se han sentido de un sexo distinto al que muestra su biología[9], será en los años cincuenta del pasado siglo cuando comience a surgir un cambio cualitativo en el proceso. El hecho que motivó esa transformación es el inicio de las operaciones de reasignación de género por parte de ciertos mé-

---

[6] Camps M. Identidad sexual y Derecho. Estudio interdisciplinario del transexualismo. Pamplona: Eunsa, 2007; 107.

[7] Hay que señalar que esta definición no es unánimemente aceptada ya que, en ocasiones, se considera que para catalogar a un individuo como transexual no basta con que este se identifique con otro sexo, sino que se precisa una transformación quirúrgica o, al menos, el comienzo de un proceso de hormonación que será el primer paso de la transformación del individuo a un miembro de otro género. Esto último se constata, principalmente, en la legislación. Bustos Y. La transexualidad de acuerdo a la Ley 3/2007, de 15 de marzo. Madrid: Dykinson, 2008; 26-7.

[8] Benjamín H. The Transsexual Phenomenon. Nueva York: The Julian Press, 1996; 6. http://www.mut23.de/texte/Harry%20Benjamin%20%20The%20Transsexual%20Phenomenon.pdf (Accedido el 20 de diciembre de 2015).

[9] Es interesante la lectura de la reseña histórica que realiza Usón, desde la mitología griega hasta la actualidad. Señala que en 1889 los profesores Krafft-Ebbing y Havelocck Ellis describen por primera vez el transexual moderno y que en 1929 comenzó el proceso quirúrgico de reasignación de género con la intervención del pintor danés Einer Wegener (Lili Elbe a partir del cambio) que murió probablemente por rechazo al transplante. Usón A. Diagnóstico y tratamiento quirúrgico del transexual masculino y femenino. Zaragoza: Real Academia de Medicina, 2008; 24.

dicos daneses. Sin duda, esas pioneras intervenciones quirúrgicas de cambio de género abrieron un nuevo marco en la forma de afrontar el transexualismo. El ejemplo de Christine Jorgensen, primera mujer en aceptar públicamente su condición transexual, después de operarse en 1951 en Copenhague, y que como varón (George) luchó en la II Guerra Mundial, tuvo una gran repercusión social, tanto que incluso Harry Benjamín llega a afirmar que su libro *The Transsexual Phenomenon*[10] fue concebido por el ejemplo de Christine.

Para explicar la causa del transexualismo se han propuestos distintos postulados. Las dos teorías que más relevancia han tenido son la hipótesis basada en la preeminencia de los aspectos psicosociales y la hipótesis biológica que «se apoya en el conocimiento del desarrollo embriológico y de la influencia hormonal en el cerebro fetal»[11].

Independientemente de las causas o las teorías, lo bien cierto es que cada vez es más frecuente encontrar personas transexuales[12] y algunos de ellos con una amplia repercusión pública en todo el mundo, como es el caso de Laverne Cox[13], de Bruce Jenner[14], o de Lana

---

[10] Benjamín H. The Transsexual Phenomenon. Nueva York: The Julian Press, 1996, 4. http://www.mut23.de/texte/Harry%20Benjamin%20%20The%20Transsexual%20Phenomenon.pdf (Accedido el 20 de diciembre de 2015).

[11] Rosello M, Cabruja T. Bio-Ciencia-Ficción: la biologización de la identidad en los discursos médicos y clínicos de la transexualidad. Quaderns de Psicologia 2012; 14 (2): 114.

[12] Aunque le epígrafe 6.5.1.4. se dedicará específicamente a esta cuestión es interesante adelantar alguna cifra. Así, por ejemplo, según datos recogidos por Gómez *et al.* «los primeros estudios de la década de 1960 aportaron datos de prevalencia de 1/100.000 hombres y 1/400.000 mujeres. Estudios posteriores encuentran prevalecías progresivamente más elevadas, y estudios europeos recientes la estiman en 1/11.900 varones y 1/30.400 mujeres». Gómez E, Trilla A, Godás A, *et al.* Estimación de la prevalencia, incidencia y razón de sexos del transexualismo en Cataluña según la demanda asistencial. Actas Españolas de Psiquiatría, 2006; 34 (5): 296.

[13] Actriz estadounidense conocida por su papel de Sophie Burset en la serie *Netflix Orange is the New Black* por la que se convirtió en la primera transexual nominada a un Emmy en la categoría de actriz, también es productora de televisión. En el año 2014 fue elegida como mujer del año por la revista Glamour y portada de la revista Time.

[14] Bruce Jenner fue medalla de oro en decatlón en los Juegos Olímpicos de Montreal en el año 1976. Posteriormente, trabajó en varias películas y series de televisión alcanzando sus mayores cotas de popularidad al participar en el reality *Keeping Up with the Kardashians*. En el año 2015 culminó un proceso de cambio de género convirtiéndose en Caitlyn Jenner.

Wachowski[15]. Estos casos, con gran impacto social, han generado que la población sea más consciente de la transexualidad y, en ocasiones, que aumente su sensibilidad sobre la cuestión, favoreciendo que se fomente un planteamiento mas generalizado y menos crítico sobre la cuestión de fondo.

En los últimos años, el cine y la televisión también se han ocupado de temáticas transexuales. Así, en 2015 se estrenó la película «About Ray», en la que una adolescente decide someterse a una operación de cambio de género y su madre debe buscar al padre biológico para conseguir su consentimiento legal para ser operada. La trama también se ve enriquecida con la falta de aceptación de la abuela ante el cambio de género. De esta forma en «About Ray» se plasman los principales conflictos que se suscitan en los procesos de reasignación de género: el problema personal y familiar, el de aceptación social y, por último, el del contexto legal. Por su parte, en el año 2016, se ha estrenado *La chica danesa*, un film que cuenta con un importante reparto y que narra hechos reales, la historia de amor de las artistas Gerda Wegener y Lili Elbe, ésta última fue una de las primeras mujeres transexuales en someterse a una cirugía de reasignación de sexo[16]. En cuanto a las series televisivas se puede destacar el éxito alcanzado por *Transparent*, donde se narra la historia de un profesor jubilado que se transforma en mujer y de cómo su familia hace frente a ese acontecimiento. Los ejemplos que se acaban de citar se pueden considerar como positivos para la causa *trans* ya que aunque, en algunas ocasiones, se muestre el sufrimiento de los sujetos afectados lo bien cierto es que intentan presentar la necesidad de ayuda, de no discriminación y el valor de la

---

[15]   Larry Wachowski, director de las películas Matrix, comenzó su transformación a Lana después del estreno de Matrix Reloaded en el año 2003 y culminó en el año 2012 cuando hizo su presentación pública como Lana en el Festival Internacional de Cine de Toronto.

[16]   Aunque la protagonista de la película se ha propuesto como ejemplo de transexualismo, su proceso parece más un caso de fetichismo sexual que de auténtico transexualismo. Heyer, hace referencia a que lo que se muestra es un cambio del amor a su esposa por el amor a su propia imagen como mujer y que el término médico de eso es «autoginofilia». Heyer W. The Danish girl: people aren't born transgender, but playing dress-up can spark. Public Discourse, 5 de enero de 2016. http:www.thepublicdiscourse.com/2015/01/16191 (Accedido el 27 de enero de 2016).

determinación e implicación en aquello que se desea. El cine también muestra otra parte de la realidad, la de la marginalidad y desesperanza, realidades que por ser ciertas no deben ser ocultadas. Sin embargo, los medios audiovisuales también son proclives a ridiculizar y caricaturizar a las personas transexuales, es un recurso fácil para hacer reír que tiene funestas consecuencias para la integración del transexual. En este sentido se puede hacer alusión a la polémica suscitada en el año 2015 por la película *Zoolander 2* a la que se ha acusado de transfobia, llegándose a recoger firmas para boicotear su estreno. En concreto, activistas LGTB[17] consideran que el personaje andrógino interpretado por Benedict Cumberbatch supone una representación ofensiva de los individuos transexuales.

Figura 1
The Danish Girl y About Ray, dos películas recientes con temática transexual

---

[17] LGTB: lesbianas, homosexuales, transexuales y bisexuales. Ahora también se les puede encontrar agrupados por las siglas LGBTIQ: lesbianas, homosexuales, bisexuales, transgénero, queer e intersexuales). Wahlert L, Fiester A. Queer Bioethics: why its time has come. Bioethics, 2012; 26 (1): ii.

El transexualismo no sólo está siendo foco de discusión en el cine o la televisión, también ha adquirido protagonismo en otros ámbitos de gran impacto como, por ejemplo, el deporte. El Comité Olímpico Internacional (COI) exigía a los transexuales que para competir debían estar operados y, además, no disputar en pruebas hasta tres años después de la intervención. En 2016, el COI cambia de criterio y recomienda a todas las federaciones deportivas que admitan a deportistas transexuales con la única condición de que su nivel de testosterona sea el adecuado[18]. Esta decisión abrió una ardua polémica entre aquellos deportistas, entrenadores, fisioterapeutas, etc. que consideran que es una discriminación al generar un estado de injusticia a favor de ciertos individuos (se podría pensar en un sujeto XY que compite como mujer) y aquellos que, por otra parte, consideran que es una medida injusta pero por lo contrario, por la obligación de determinar la testosterona, ya que, según ellos, lo importante no es la cantidad de hormona sino lo que la persona siente que es.

Esta situación de mayor visibilidad de la cuestión transexual lleva a la población a reflexionar sobre lo que para cada transexual supone su situación y, como consecuencia de ello, sobre como el entorno debe acoger esa realidad. Porque no se trata solo de que haya transexuales, sino de que ellos requieren de un trato acorde con su dignidad. De esta forma, la sociedad en su conjunto, o cada uno de sus miembros de forma particular, también se plantean cual debe ser su actuación ante esta novedad que hasta este momento le ha sido desconocida o ajena. En este sentido, el jurista se puede encontrar con procesos en los que tenga que pronunciarse sobre una determinada intervención quirúrgica[19] para un cambio de género, se puede pensar en el actual debate

---

[18]   Arribas C. Transexuales, deporte y testosterona. El País, 8 de febrero de 2016. http://deportes.elpais.com/deportes/2016/02/07/actualidad/1454877260_256920.html (Accedido el 17 de febrero de 2016).

[19]   O cuestiones menos trascendentes pero que, igualmente, generan inquietud y terminan en los juzgados. Por ejemplo, se puede pensar en el caso suscitado en Chile en 2014, de un transexual que siendo hombre biológicamente se hacía llamar Fabiana y se sentía mujer, demandó a un gimnasio porque le asignaron taquilla en los vestuarios de varones. RPP Noticias.
file:///D:/Mis%20Documentos/TEMAS/genero/Chile%20Transexual%20demanda%20a%20gimnasio%20por%20discriminación%20%20RPP%20NOTICIAS.webarchive (Accedido el 15 de diciembre de 2015).

sobre la reasignación de género en menores. También se puede hacer alusión a la incertidumbre que suscita, en países donde no hay legislación sobre reasignación de género, el regreso de uno de sus ciudadanos que se ha operado en el extranjero y solicita la adscripción legal a su nuevo género[20]. En otro ámbito, los políticos tendrán que incluir o excluir, en sus programas electorales o sus resoluciones, determinadas acciones sobre este colectivo. Por su parte, el médico deberá determinar si a una mujer con pene se le asigna una cama en una habitación de varones o mujeres. Por último, y por no ser más exhaustivos ya que la casuística es mucho más abundante, una federación deportiva tendrá que determinar si excluye de una competición a una persona con físico de mujer pero con cromosomas XY[21]; o el directivo de un gimnasio se podrá ver urgido a decidir a qué vestuario asigna a un transexual (problema que adquiere una mayor complejidad si el sujeto no se ha sometido a un cambio total de género)[22].

Además de los aspectos que se han indicado en el párrafo anterior hay otra cuestión que dilucidar, si la denominada operación de cambio de género es lo mejor para el transexual y, en ese caso, si se podría indicar que es la mejor opción para todo transexual o si, por el contrario, hay excepciones a esa regla general. En los siguientes párrafos se va a intentar, fundamentalmente, contestar a la anterior cuestión ya que, como se ha indicado en el título de este trabajo, nos interesa dilucidar sobre la repercusión del cambio de sexo en la salud integral de la persona.

---

[20]　Una situación de esta índole es lo que dio origen en España a la Sentencia del Tribunal Supremo de 2 de julio de 1987: un español que salió de su país como varón, regresó como mujer después de una reasignación de género en Londres. Elósegui M. La transexualidad. Jurisprudencia y argumentación jurídica. Granada: Comares, 1999; 128.

[21]　Esto es lo que le sucedió, en 1986, a la atleta española María Patiño. La Federación Española de Atletismo retiró la licencia a María José Martínez Patiño, plusmarquista nacional de los 60 metros vallas, como consecuencia de los informes elaborados por la Fundación Jiménez Díaz, de Madrid, y la universidad de Hyogd (Japón), que coinciden en señalar que la atleta presentaba cromosomas XY, propios del sexo masculino. http://elpais.com/diario/1986/01/29/deportes/507337210_850215.html (Accedido el 16 de marzo de 2015).

[22]　Johnson B. Man strips in front of girls in locker room, says transgender law allows it. Life site. https://www.lifesitenews.com/news/man-strips-in-front-of-girls-in-swimming-pool-locker-says-transgender-law-a (Accedido el 22 de abril de 2016).

2. SEXO Y GÉNERO

Una cuestión de partida que requiere una aclaración es el significado que se le asigna a los términos sexo y género. Según Aparisi, estos vocablos fueron muy valiosos, a partir de los años sesenta del siglo pasado, en la lucha contra la discriminación de la mujer. «En este ámbito resultó muy útil para explicar que, en los distintos roles femenino y masculino, existen algunos elementos propios de la realidad humana y otros construidos histórica y socialmente»[23]. Aquí es preciso hacer alusión a lo que se considera que es el cuerpo, no hay que desdeñar que muchos teóricos «se han distanciado de la concepción de un cuerpo biológicamente dado para redefinirlo como un fenómeno sociocultural e histórico»[24]. El sexo sería lo biológico y es expresión de la dualidad biológica varón/mujer y el género sería lo cultural[25]. En esta línea, Aparisi sigue indicando que «con la expresión género se quiso significar que la realidad integral del ser humano supera la biología, en el sentido de que, en la conformación y desarrollo de la identidad sexual, poseen, asimismo, mucha importancia la educación, la cultura y la libertad. Estos factores influyen, a su vez, en el papel o rol sexual que asume una persona en su desenvolvimiento social»[26]. De tal forma que el sexo y el género «serían dos dimensiones que confluyen en una misma realidad: la identidad sexual del ser humano». Con esta premisa el sexo y el género no se consideran como realidades antagónicas, sino como complementarias. «Se trata, por ello, de dimensiones que, en un desarrollo equilibrado de la persona, están

---

[23]   Aparisi Miralles A. Persona y Género: ideología y realidad. En: Aparisi Miralles A (Coord.). Persona y Género. Cizur Menor: Aranzadi, 2011; 19.

[24]   Vartabedian J. El cuerpo como espejo de las construcciones de género. Una aproximación a la transexualidad femenina. Quaderns-e de l'Institut Català d'Antropologia, 2007; 1.
http://www.raco.cat/index.php/QuadernseICA/article/viewArticle/109038/0.

[25]   «El término género proveniente del campo de la literatura se aplicó a partir de los años sesenta a la psicología y a la antropología». Elósegui M. La transexualidad. Jurisprudencia y argumentación jurídica. Granada: Comares, 1999; 91.

[26]   Aparisi Miralles A. Persona y Género: ideología y realidad. En: Aparisi Miralles A (Coord.). Persona y Género. Cizur Menor: Aranzadi, 2011; 19.

llamadas a integrarse armónicamente»[27]. O, dicho de otra manera, se trataría de considerar «una posición de equilibrio —o integral— que no pretende quitarle a la naturaleza la parte que le corresponde ni a la cultura aquella que depende de la misma»[28].

Sin embargo, distintos autores otorgan definiciones muy diversas a los términos sexo, género o identidad sexual, lo que, posteriormente, ocasionará que utilizando una misma expresión se haga alusión a diferentes realidades. Así, por ejemplo, Hernández y col[29]. hacen referencia a cuatro funciones:

2.1. Sexo

Remite a la realidad biológica. Podrá ser varón, mujer o intersexual. En palabras de Camps «el sexo es el estatus biológico de una persona en cuanto varón, mujer o incierto»[30]. No obstante, algunos autores realizan una subdivisión asignando ciertos apellidos a la palabra sexo. Por ejemplo, Benjamín señala que hay diez tipos de sexo: cromosómico[31], genético, anatómico[32], legal, gona-

---

[27]   Aparisi Miralles A. Persona y Género: ideología y realidad. En: Aparisi Miralles A (Coord.). Persona y Género. Cizur Menor: Aranzadi, 2011; 20.

[28]   Camps M. Identidad sexual y Derecho. Estudio interdisciplinario del transexualismo. Pamplona: Eunsa, 2007; 109.

[29]   Hernández M, Rodríguez G, García-Valdecasas J. Género y sexualidad: consideraciones contemporáneas a partir de una reflexión en torno a la transexualidad y los estados intersexuales. Rev Asoc Esp Neuropsiq 2010; XXX (105): 80.

[30]   Camps M. Identidad sexual y Derecho. Estudio interdisciplinario del transexualismo. Pamplona: Eunsa, 2007; 113.

[31]   «En la fecundación se produce una combinación de cromosomas (mitad origen materno y mitad paterno) en la cual se determina el sexo cromosómico de la persona». Camps M. Identidad sexual y Derecho. Estudio interdisciplinario del transexualismo. Pamplona: Eunsa, 2007; 56.

[32]   Al comienzo del periodo fetal las gónadas sexuales producen hormonas que provocan la diferenciación sexual de los genitales internos, externos y el inicio de la diferenciación fenotípica. «Esto sucede alrededor de la décima semana de gestación. Por ello, se puede afirmar que la determinación de las gónadas es totalmente independiente de la acción de las hormonas, mientras que la sexualización del fenotipo dependerá principalmente de ellas». De tal forma, que «si faltan hormonas masculinas, independientemente del patrimonio cromosómico que posea el individuo, éste desarrollará un fenotipo femenino». Camps M. Identidad sexual y Derecho. Estudio interdisciplinario del transexualismo. Pamplona: Eunsa, 2007; 64-5.

dal[33], germinal, endocrino, sicológico[34], social y de crianza[35]. Hay autores que introducen nuevos tipos como, por ejemplo, el sexo cromatínico[36] y, en cambio, otros investigadores excluyen algunos de los consignados por Benjamín en la referencia sexo ya que no responden a una realidad biológica. Este es el caso, por ejemplo, de lo que se denomina sexo social o legal.

2.2. Orientación sexual

Es la preferencia sexual que se establece, prioritariamente, en la adolescencia que es la época en la que se completa el desarrollo cerebral[37]. Puede ser homosexual, heterosexual, bisexual, parafílico, etc.

2.3. Identidad sexual

Se trata del sentimiento de pertenecer a un determinado sexo, biológica o sicológicamente[38]. Es una condición propia de la persona, de ahí que se considere una misma realidad con la identidad personal. Esa identidad personal es la conciencia que cada persona tiene de sí y tendrá una dimensión sexual expresada en los sentimientos del sexo sicológico y en la realidad del sexo biológico. El sujeto, para su bienestar, necesita que exista una coherencia entre lo que es y lo que siente que es e, incluso, lo que los otros piensan que es. Por ello, en un

---

[33] «Las gonadas antes de que puedan identificarse como testículo o como ovario, atraviesan una etapa en la que son indiferenciadas, se trata de una indiferenciación fenotípica, ya que el sexo cromosómico ya esta determinado. El testículo (determinado por el cromosoma Y) puede ser identificado a las 6 semanas de desarrollo. El ovario (determinado por el XX) puede identificarse a las 7 semanas de desarrollo embrionario». Camps M. Identidad sexual y Derecho. Estudio interdisciplinario del transexualismo. Pamplona: Eunsa, 2007; 61-2.

[34] «Supone la convicción íntima, robusta y firme de pertenecer a un género determinado. Esta convicción implica al "yo", a quien en cierto modo configura como un "yo sexuado" en este género; pero a la vez, es reconfigurado, fundamentado y planificado desde el propio "yo"». Polaino A. Sexo y cultura. Análisis del comportamiento sexual. Madrid: Rialp, 1992: 47.

[35] Benjamín H. The Transexual Phenomenon. Nueva York: The Julian Press, 1996; 8.

[36] La cromatina sexual es visible únicamente en las células femeninas. Botella Llusiá J. Endocrinología de la mujer. Barcelona: Científico-Médica, 1982; 290.

[37] Gómez Zapiaín J. Psicología de la sexualidad. Madrid: Alianza, 20014; 89-111.

[38] Fue definido en estos términos por Money en 1955.

sentido amplio, habría que hacer referencia a la concordancia entre el sexo corporal, el sexo asumido, el sexo identificado, el sexo asignado y el sexo vivido[39].

En este apartado hay que hacer alusión a lo que se denomina sexo cerebral. La diferenciación sexual también se manifiesta en el cerebro en lo que se designa *sexualización del cerebro* y conlleva una serie de transformaciones que provocan una diferenciación estructural y funcional entre un cerebro masculino y femenino[40]. De ahí que el sexo corporal pueda presentarse de un signo contrario al cerebral generando una disociación en la identidad sexual. Más adelante se volverá a abordar esta cuestión con más profundidad.

2.4. Género

Como ya se ha indicado anteriormente, se trata de aspectos suprapersonales, de origen social, que hacen referencia a lo que se espera de cada cual por tener una determinada forma corporal[41]. El género «conduce a una representación psicológico-simbólica, una construcción histórica y antropológico-cultural. Integra, asimismo, roles y pautas de comportamiento, con los condicionamientos sociales que ello conlleva»[42]. De ahí que se pueda señalar que el género «es un concepto sociológico y psicológico, no un concepto biológico objetivo»[43].

2.5. Sexo, género y dimorfismo sexual

Como resumen de lo expuesto anteriormente se puede afirmar que «el sexo, el género, la orientación sexual y el sexo sicológico de-

---

[39] Camps M. Identidad sexual y Derecho. Estudio interdisciplinario del transexualismo. Pamplona: Eunsa, 2007; 117.

[40] Kimura D. Cerebro de mujer y cerebro de varón. Investigación y Ciencia, 1992; 194: 76-84.

[41] Para Benjamín, el género «es el lado no sexual del sexo». Benjamín H. The Transexual Phenomenon. Nueva York: The Julian Press, 1996; 7.

[42] Aparisi A. Del igualitarismo y el postfeminismo de género, al modelo de la igualdad en la diferencia. Rivista Education Sciences and Society, 2015; 38.

[43] American College of Pediatricians. Gender ideology harms children. 21 de marzo de 2016. http://www.acpeds.org/the-college-speaks/position-statements/gender-ideology-harms-children (Accedido el 11 de abril de 2016).

signan las distintas dimensiones de una única identidad sexual de la persona»[44]. Sería una única realidad si se integran en un proceso de complementación o, por el contrario, una realidad disociada si se les otorga un carácter diferenciador. Por ejemplo, en lo que ha denominado *feminismo radical* se demoniza el cuerpo de la mujer por considerarlo sinónimo de subordinación. De esa forma se desarrolla una argumentación no integradora que conduce a desenfocar la cuestión al contemplarla de forma parcelada[45]. En mi opinión, el problema existente en su origen, la subordinación de la mujer al hombre, no justifica una línea argumental que anule otras opciones sin realizar un intento de solventarla a través de una discusión ponderada y prudente. Por consiguiente, continuando con la tesis de Vartabedian, «siguiendo una mirada feminista, la dicotomía sexo/género se convirtió en una lucha política que repudiaba la subordinación de la mujer. El "sexo" estaba determinado por factores biológicos, el "género" por sociales y culturales. Pero esta cruzada se centró, sobre todo, en realizar la categoría de género y, por el contrario, dejar intacto e incuestionable la del sexo»[46].

Entre las cuatro funciones señaladas, y dependiendo de los autores, se dan toda una serie de relaciones e incluso asimilaciones, lo cual puede indicar que es un terreno que debe ser más estudiado o/y que es una cuestión en la que los múltiples aspectos que inciden, muchos de los cuales adolecen de una gran subjetividad, hace muy complicado una nítida delimitación de los términos. Por ejemplo, ciertos investigadores señalan que hay una diferencia en la identidad sexual según se haga alusión a la «ontología escópica», en relación a que lo real es lo que se ve, o a la «ontología inmaterial» cuando lo real se esconde

---

[44]   Camps M. Identidad sexual y Derecho. Estudio interdisciplinario del transexualismo. Pamplona: Eunsa, 2007; 112.

[45]   Vartabedian J. El cuerpo como espejo de las construcciones de género. Una aproximación a la transexualidad femenina. Quaderns-e de l'Institut Català d'Antropologia, 2007; 3.
http://www.raco.cat/index.php/QuadernseICA/article/viewArticle/109038/0 (Accedido el 3 de marzo de 2016).

[46]   Vartabedian J. El cuerpo como espejo de las construcciones de género. Una aproximación a la transexualidad femenina. Quaderns-e de l'Institut Català d'Antropologia, 2007; 4. http://www.raco.cat/index.php/QuadernseICA/article/viewArticle/109038/0 (Accedido el 3 de marzo de 2016).

a los sentidos, de esta manera el sexo biológico se integraría en el primer tipo y el sicológico en el segundo[47]. Por su parte, Hernández y col. mantienen que no se puede defender la propia identidad sexual si no es a través de conductas. De ahí que la identidad sexual no sea algo íntimo o innato, y se presente como algo construido y enseñado que determina que no haya «diferencia entre los conceptos de identidad sexual y género»[48]. Con este ejemplo se evidencia que, en el campo que estamos tratando, la cuestión terminológica y conceptual es compleja.

En cuanto a la visión del transexualismo por las distintas teorías de género, se puede señalar que, en consonancia con lo mantenido en el párrafo anterior, habrá grandes diferencias entre unas y otras. Por ejemplo, en lo que se ha denominado *discurso radical de género* se ha venido contemplando de forma indiferente el cambio de sexo, lo observaba como una opción a adoptar en un sentido u otro, sin más relevancia. En cambio, el modelo de la igualdad en la diferencia[49] lo percibirá como algo definitorio y de gran importancia. No obstante, en los últimos años se está apreciando un cambio de criterio en lo que se pueden denominar teorías de género extremas. Esta modificación viene auspiciada por el hecho de que los transexuales buscan una identificación máxima con su sexo cerebral. Por ejemplo, un varón que se siente mujer adopta no solo la apariencia sino que asume también los roles atribuidos por la sociedad a las mujeres. Fernández y García Vega mantienen que este colectivo necesita «con más fuerza que las personas no transexuales adecuarse a los estereotipos de masculinidad y feminidad vigentes en la sociedad, hacer propias aquellas características del sexo con el que se identifican y aquello

---

[47]   Preciado B. Texto Yonki. Madrid: Espasa-Calpe, 2008.

[48]   Hernández M, Rodríguez G, García-Valdecasas J. Género y sexualidad: consideraciones contemporáneas a partir de una reflexión en torno a la transexualidad y los estados intersexuales. Rev Asoc Esp Neuropsiq 2010; XXX (105): 82. Hay quien señala que lo que se busca es la descorporeización de las identidades: Vartabedian J. El cuerpo como espejo de las construcciones de género. Una aproximación a la transexualidad femenina. Quaderns-e de l'Institut Català d'Antropologia, 2007; 5.
http://www.raco.cat/index.php/QuadernseICA/article/viewArticle/109038/0 (Accedido el 3 de marzo de 2016).

[49]   Aparisi A. Discursos de género y Bioética. Cuadernos de Bioética, 2014; 25 (84): 259-71.

que es propio de cada sexo»[50]. Esta situación va en contra de las hipótesis de muchos autores dedicados al género que mantienen la premisa inicial de que la dicotomía hombre-mujer es una ficción. De ahí que desde muchos lobbys de género *extremo* se esté obviando a los transexuales por no serles de utilidad para avalar sus teorías. En este sentido, Billings y Urban mantienen que «en el ámbito de las ideas, la operación de cambio de sexo no sólo es reflejo y extensión de la lógica del capitalismo tardío de cosificación y compra de bienes de consumo, sino que a la vez juega un papel implícito en la política sexual contemporánea»[51] llegando a reafirmar de manera implícita los roles tradicionales masculino y femenino. «Las personas transexuales procuran crear un género perfecto. Reproducen todos los elementos que la sociedad heteronormativa les reclama»[52]. Así, llama la atención que desde ámbitos sociales que promueven cambios legales, jaleados por los lobbys de género, continúen asentando la dicotomía hombre-mujer, quizá no siendo muy conscientes de ello. Un ejemplo que sustenta lo que se acaba de afirmar lo encontramos en la Ley de identidad y expresión de género e igualdad social y no discriminación de la Comunidad de Madrid, en la que se dedican medidas de tutela especiales a las victimas de violencia de género a las mujeres transexuales...y no a los hombres transexuales[53]. Lo que se acaba de indicar, del asentamiento de la dicotomía hombre y mujer en los transexuales también se puede apreciar en muchos argumentos de género. Por ejemplo, Preciado distingue entre biohombres y biomujeres que son los que conservan su sexo original, y tecnohombres y tecnomujeres aquellos que se presentan con un sexo construido en un proceso técnico[54]. En ocasiones, los argumentos para rebatir la diferencia

---

[50] Fernández M, García-Vega E. Variables clínicas en el trastorno de identidad de género. Psicothema 2012; 24 (4): 555.

[51] Cfr. Polo C, Olivares D. Consideraciones en torno a la propuesta de despatologización de la transexualidad. Rev Asoc Esp Neuropsiq 2011; 31 (110): 293.

[52] Belsué Guillorme K. Sexo, género y transexualidad: de los desafíos teóricos a las debilidades de la legislación española. Acciones e investigaciones sociales, 2011; 29: 15.

[53] Título V. Boletín Oficial de la Asamblea de Madrid, número 51, de 21 de marzo de 2016.

[54] Cfr. Hernández M, Rodríguez G, García-Valdecasas J. Género y sexualidad: consideraciones contemporáneas a partir de una reflexión en torno a la transexualidad y los estados intersexuales. Rev Asoc Esp Neuropsiq 2010; XXX (105): 86.

entre hombre y mujer son tan inconsistentes que acaban sirviendo de sustento para lo que querían refutar. Esto es lo que le sucede a una de las mujeres más influyente en el ámbito de género, Butler, que llega a mantener que es una ficción que la naturaleza sexuada sea anterior a la acción de la cultura[55]. Esa teoría preformativa del sexo afirma que si hay una expectativa previa de que los sexos son dos y los géneros son dos y antagónicos, entonces se produce el efecto de que veamos a los sexos dos y antagónicos. Sin embargo, desde una perspectiva biológica es una realidad evidente que antes de que el feto tenga un contacto con el medio exterior ya manifiesta unas determinadas características sexuales. Con la afirmación de esa situación temporal del feto no se quiere decir que esas características después sean, o no, las que determinen su identidad sexual. Simplemente, se quiere indicar que son las primeras manifestaciones de una cascada de ellas que ira determinando al sujeto a lo largo de su vida. Como indica Vartabedian, «las identidades de género siguen estando corporeizadas. Cualquier tipo de cambio físico del llamado proceso transexualizador se efectúa sobre el cuerpo en tanto soporte y espejo de las construcciones de género»[56].

Otros datos a considerar, que pueden servir de ayuda en el debate sobre el dimorfismo, son aquellos que provienen del diverso comportamiento entre sexos de primates que, por otra parte, guardan una relación con el que desarrollan los humanos. Sobre esta cuestión se pueden citar distintas investigaciones, tanto en animales como en humanos, que ponen en evidencia la existencia de unas diferencias objetivas. Por ejemplo, Alexander y Hines[57] realizan un estudio ofreciendo

---

[55] «Continuamente las personas se hacen y deshacen en su relación con los otros, las hace el contexto, y por ello su identidad es variable y está en continuo proceso de formación». Belsué Guillorme K. Sexo, género y transexualidad: de los desafíos teóricos a las debilidades de la legislación española. Acciones e Investigaciones Sociales 2011; 29: 11.

[56] Vartabedian J. El cuerpo como espejo de las construcciones de género. Una aproximación a la transexualidad femenina. Quaderns-e de l'Institut Català d'Antropologia, 2007; 6.
http://www.raco.cat/index.php/QuadernseICA/article/viewArticle/109038/0 (Accedido el 3 de marzo de 2016).

[57] Alexander GM, Hines M. Sex differences in response to children's toys in nonhuman primates (Cercopithecus aethiops sabaeus). Evolution & Human Behavior, 2002; 23 (6): 467-9.

juguetes a monos verdes (Cercopithecus aethiops), las hembras del grupo tenían predilección por las muñecas y los machos por coches y pelotas. Por su parte, Torres y col. efectuaron una búsqueda sistemática de la bibliografía para revisar las evidencias científicas sobre las diferencias cognitivas en función del género y la posible influencia de las hormonas sexuales en el rendimiento cognitivo. Llegaron a la conclusión de que la fluencia verbal, la velocidad perceptiva y la motricidad eran mayores en mujeres, mientras que la aptitud matemática y espacial era superior en hombres. En cuanto a la memoria era mayor la verbal en mujeres y la vivoespacial en hombres, no encontrándose diferencias en la memoria de trabajo[58]. Por otra parte, en lo que respecta a las hormonas, Torres y col. evidenciaron que las hormonas no sólo determinan sus caracteres secundarios, sino que también afectan a sus funciones cognitivas[59].

La consideración perfomativa a la que se ha hecho referencia en el párrafo anterior puede, por sí misma, tener un efecto perverso en los sujetos ya que sostiene que la expresión verbal es capaz de recrear una nueva realidad. Por ejemplo, se indica que al decirle a alguien *mujer* le estarías constituyendo la realidad a la que representa y, es posible, que ésta no se adecue a esa persona. Sin embargo, lo mismo sucedería si a alguien le decimos gordo o delgado, atlético o pícnico, peludo o lampiño, investigador o funcionario, creativo o técnico,...cada una de esas expresiones no son más que una manifestación de una de las características del sujeto que las porta. Que el contenido que se asocia a la expresión sea más o menos positivo sí que será una construcción de la persona o la sociedad. Por esta razón se ha indicado lo del efecto perverso de la consideración preformativa, porque elude la realidad del ser y la sojuzga a la tiranía de las consideraciones sociales.

Con estos presupuestos se entiende que cueste realizar un enfoque objetivo de la denominada «cuestión de género» aplicada al transexualismo ya que las distintas aportaciones, a través de una decons-

---

[58] Torres A, Gómez-Gil E, Vidal A, Puig O, Boget T, Salamero M. Diferencias de género en las funciones cognitivas e influencia de las hormonas sexuales. Actas Esp Psiquiatr, 2006; 34 (6): 410.

[59] Torres A, Gómez-Gil E, Vidal A, Puig O, Boget T, Salamero M. Diferencias de género en las funciones cognitivas e influencia de las hormonas sexuales. Actas Esp Psiquiatr, 2006; 34 (6): 413.

trucción de la realidad o el descubrimiento de nuevas realidades que conviven sin relacionarse, siguen caminos divergentes que, cuanto menos, confunden al espectador que quiere entender, o incluso identificarse, con una teoría de género. El problema es que detrás de esas consideraciones hay sujetos afectados por dudas sobre su sexualidad, o su género, que requieren de una ayuda para seguir recorriendo su camino; hay profesionales sanitarios que quieren tener un conocimiento suficiente para ayudar a los anteriores; hay una clase política que debe saber a qué atenerse a la hora de contemplar beneficios o límites a las demandas de los sujetos afectados; etc.

3. DIFERENCIA ENTRE TRAVESTI, TRANSEXUAL Y TRANSGÉNERO[60]

Una de las cuestiones que llama la atención cuando se suscita el tema del transexualismo es que se suele incluir en un mismo *lote* a transexuales, travestis, Drag Queens y transgénero. Esto es un error que conlleva un cierto grado de discriminación al ser realidades distintas y que, por otra parte, dificulta un abordaje eficiente de los problemas que pueden conllevar cada uno de esos colectivos. Por ello, es conveniente que nos detengamos para ofrecer algunas características de cada uno de estos grupos que sirvan para su diferenciación.

El transexualismo y el travestismo no se diferenciaban hasta que David Cauldwell en el año 1949, utiliza por primera vez el término transexual[61]. Cuando se hace referencia al travesti como una realidad diferente al transexual es porque, en el primer caso, al sujeto le basta con llevar ropas o adoptar gestos del otro sexo durante periodos de su vida, continuos o discontinuos, pero que no busca un cambio de sexo permanente y tampoco se plantea el poder llevar a cabo una

---

[60] En esta diferenciación no se ha incluido el homosexualismo ya que en la «homosexualidad, los aspectos físicos del sexo no se perciben en un sentido ambiguo ni conflictivo; se usan en vistas a la satisfacción erótica depositada en el individuo del mismo sexo. El homosexual no quiere cambiar de sexo sino únicamente tener relaciones sexuales con individuos del mismo sexo». Sgreccia E. Manual de Bioética II. Aspectos médico-sociales. Madrid: Biblioteca de autores cristianos, 2014, 187.

[61] Caudwell DO. Psychopathia transexualis. Sexology, 1949; 16: 274-80. No obstante, el término ya había sido utilizado por Hirschfeld, quien en 1923 lo utiliza de forma genérica —a la par que otros conceptos como travesti y homosexual— en su estudio «Die intersexuelle konstitution». Cfr.: Domínguez JM, García Leiva P, Hombrados MI. Transexualidad en España. Análisis de la realidad social y factores psicosociales asociados.
www.felgtb.org/rs/722/...54ec.../transexualidad-en-espana.doc (accedido el 25 de noviembre de 2015).
También es Hirschfeld quien intentó definir, diagnosticar y clasificar el travestismo, en 1910, en su libro Die Transvestiten. Hill DB. Sexuality and gender in Hirschfeld's Die Transvestiten: a case of the «elusive evidence of the ordinary». Journal of the History of Sexuality, 2005; 14 (3): 316-32.

intervención quirúrgica para una reasignación de género[62]. Más aún, en el travesti concuerda la identidad de género con el sexo biológico, la mayoría de ellos son varones biológicos atraídos sexualmente por mujeres[63]. Al travestismo se le ha venido considerando una parafilia[64] que «supone la activación sexual por medio de objetos y situaciones que no forman parte de las pautas habituales». Desde esta perspectiva, «el travestismo por diversión, o como liberación de tensiones, no es propiamente una parafilia. Tampoco es verdadero travestismo el que puede realizar un homosexual para atraer a un individuo o para realizar una representación teatral. El travestismo verdadero, y que constituye a la persona como tal, supone una necesidad para llegar a la excitación sexual»[65].

En cambio el transexual si que opta, incluso se puede decir que necesita, adoptar los rasgos del otro sexo de forma continua y la reasignación de género[66]. Di Pietro lo define como «un síndrome en el

---

[62]   «El travestismo no tiene un deseo profundo de cambiar de sexo, sino que se ha instaurado una necesidad psíquica de ponerse ropa del otro sexo, como condición necesaria para alcanzar la excitación sexual: las relaciones sexuales se dirige a individuos del sexo opuesto». Sgreccia E. Manual de Bioética II. Aspectos médico-sociales. Madrid: Biblioteca de autores cristianos, 2014, 187. Aunque esta diferenciación parece que, actualmente, se establece de forma bastante nítida, no siempre ha sido así. Por ejemplo Benjamín introduce le termino transexual «para el grupo más extremo de travestidos que quieren cambiar de sexo» y en la primera publicación de un caso junto con una discusión general de Hamburger *et al.*, publicado en 1953, «no se menciona la palabra transexualidad y se considera al paciente un travestido verdadero identificado con el sexo contrario que reclama tratamiento quirúrgico para cambiar su anatomía». Cfr. Pera-Bajo F, Marote-González RM, Baladía-Olmedo C, García-Andrade C. Aspectos actuales de la transexualidad y su implicación médico-legal. Medicina Clínica, 2006; 126 (19): 750.

[63]   «La mayoría de los travestis son abiertamente heterosexuales, aunque algunos pueden ser bisexuales latentes». Benjamín H. The Transexual Phenomenon. Nueva York: The Julian Press, 1996; 12.

[64]   Fuentes JA. Desviaciones de la sexualidad. Parafilias y transexualismo en las causas de nulidad matrimonial canónica. *Ius Canonicum* 2013; 53: 656.

[65]   Fuentes JA. Desviaciones de la sexualidad. Parafilias y transexualismo en las causas de nulidad matrimonial canónica. *Ius Canonicum* 2013; 53: 669. Benjamín mantiene que algunas de las desviaciones sexuales se sustentan en el hecho de que «ciertos individuos se atascan en su sexualidad infantil». Benjamín H. The Transexual Phenomenon. Nueva York: The Julian Press, 1996; 7.

[66]   Para el Diccionario de la Real Academia de la Lenga un transexual es la persona «que mediante tratamiento hormonal e intervención quirúrgica adquiere los caracteres sexuales del sexo opuesto».

que existe una inclinación psicológica primaria (o en cualquier caso revelada en tiempos remotos) de pertenecer al sexo opuesto al genético, fenotípico y legal; inclinación que se acompaña de un comportamiento psicosocial opuesto a aquel previsto por el sexo anatómico y que se asocia al deseo obsesivo de liberarse de los atributos genitales poseídos y adquirir aquellos del sexo opuesto»[67]. En este sentido, también conviene recordar, como se ha indicado anteriormente, que al travestismo se le ha venido considerando una parafilia[68] mientras que al transexualismo se le clasifica como una disforia[69].

Para reconocer a un auténtico transexual nos puede servir, en una primera aproximación, las *Directrices de Fisk*[70]:

3.1. Sensación experimentada durante toda la vida de ser miembro de otro sexo

Se presenta una dicotomía entre mente y cuerpo: una mente de mujer atrapada en un cuerpo de hombre o al revés[71]. Se ha llegado a po-

---

[67]   Di Pietro ML. Modificazione e rettificazione del sesso: análisis degli aspetti Medici. En: Zaggia C. Progresso biomedico e diritto matrimoniale canónico. Padua: Cedam, 1992; 23.

[68]   «Suponen la activación sexual por medio de objetos y situaciones que no forman parte de las pautas habituales». Fuentes JA. Desviaciones de la sexualidad. Parafilias y transexualismo en las causas de nulidad matrimonial canónica. *Ius Canonicum* 2013; 53: 656.

[69]   No obstante, para muchos investigadores no es tan nítida la diferencia entre travestismo y transexualismo. Por ejemplo, Benjamín hace alusión a tres grados en el travestismo, el primero vendría a coincidir con la definición aportada anteriormente, el tercero coincidiría con el transexual, y el segundo grado seria de transición. El citado autor también señala que algunos transexuales se camuflan como travestis para acallar sus inquietudes hasta que aceptan su situación. No obstante, ese travestismo para el transexual es «una ayuda insuficiente, como lo seria una aspirina para el dolor generado por un tumor cerebral». Benjamín H. The Transexual Phenomenon. Nueva York: The Julian Press, 1996; 14-5.

[70]   Soley-Beltrán P. Transexualidad y transgénero: una perspectiva Bioética. Revista de Bioética y Derecho 2014; 30: 25.

[71]   Este tipo de expresión era utilizada por científicos de finales del siglo XIX para los homosexuales. Así, el homosexual masculino consistiría «en un alma de mujer atrapada en un cuerpo masculino, y tendría su raíz en ese otro ser, el hermafrodita, resignificado como hermafrodita psíquico» Cfr. Cleminson R, Medina R. ¿Mujer u hombre? Hermafroditismo, tecnologías médicas e identificación del sexo en España, 1860-1925. Dynamis Acta Hisp. Med. Sci. Hist. Illus., 2004; 24:

ner el símil de que es un hombre aprisionado en una camisa de fuerza de mujer o una mujer que tiene que vivir permanentemente oprimida con una camisa de fuerza de hombre[72]. Soley-Beltrán mantiene que «al cambiar de sexo» buscan satisfacer una cuestión de identidad, no la búsqueda de un placer sexual[73]. Esta cuestión es importante ya que, en muchos ambientes, una primera forma de discriminar al transexual es considerar que su situación solo tiene como fin el placer sexual y, en muchos casos, el obsesivo placer sexual.

3.2. Actividad temprana y persistente en travestirse

Ese deseo de transformarse en una persona del sexo opuesto no solo se queda en la forma de vestirse o en otros cambios externos, se procura lograr cambios más drásticos a través de hormonas o cirugía. No obstante, hay que tener presente que el cambio hormonal o quirúrgico que sufren no es un cambio de sexo. Se trata de un cambio de apariencia.

3.3. Desdén o repugnancia hacia el comportamiento homosexual

Los transexuales se consideran heterosexuales. Un hombre que se ha operado para tener una apariencia de mujer[74], se siente mujer y

---

56. En cambio, en la actualidad, este símil está siendo utilizado para otros sujetos distintos a los transexuales. Por ejemplo, los transespecie. Así, en enero de 2016 saltó a los medios de comunicación el caso de Nano, una mujer noruega que afirma que, en realidad, es un gato atrapado en un cuerpo de mujer. Gago V. ¿Y que pasa con los derechos de los transespecie?http://www.actuall.com/familia/y-que-pasa-con-los-derechos-trans-especies-ella-es-un-gato-atrapado-en-un-cuerpo-de-mujer/(Accedido el 8 de febrero de 2016).

[72] Roehr B. Comfortable in their bodies: the rise of transcender care. BMJ, 2015; 350: h3083.

[73] Soley-Beltrán P. Transexualidad y transgénero: una perspectiva Bioética. Revista de Bioética y Derecho, 2014; 30: 26.

[74] A las personas transexuales se les designa por el sexo al que se sienten identificados. Una mujer transexual es aquella que nació con anatomía masculina y un hombre transexual es aquel que nació con anatomía femenina. También se les suele denominar como Trans MH a las mujeres biológicas con identidad de género de hombre y Trans HM a los hombres biológicos con identidad de género de mujer.

tiene apetencia sexual por los hombres. «Suelen definir su orientación desde el género sentido y desde ahí, el considerarlos como homosexuales les puede resultar hasta ofensivo. La mayoría de los transexuales femeninas manifiestan atracción por hombres heterosexuales, y del mismo modo, la mayoría de los transexuales masculinos se sienten atraídos por mujeres heterosexuales»[75]. También suele exigir la heterosexualidad en sus parejas. Sin embargo, aunque esto sea así de forma mayoritaria también hay transexuales con comportamiento homosexual, bisexual o sin atracción sexual por ninguno de los sexos.

A esta clasificación habría que añadirle otra característica:

3.4. La disforia de género

Se trata del rechazo a las manifestaciones externas de su sexo biológico. Este término fue introducido por Norman Fisk en 1973 haciendo alusión a la ansiedad asociada al conflicto entre la identidad sexual y el sexo anatómico[76]. Benjamín señala que para los transexuales sus órganos sexuales, tanto primarios (testículos) como secundarios (pene y otros) suponen «un asco, deformidades que deben ser cambiadas por el bisturí del cirujano»[77]. Esta es otra gran diferencia con los travestis, mientras que para el travesti su órganos sexual es un órgano de placer, el transexual se aparta de el con disgusto e, incluso, con repugnancia. Laverde señala en este punto que la búsqueda de transformación genital puede «llegar en algunos de los pacientes masculinos a actos de automutilación»[78].

---

[75]   Fernández. M, García-Vega E. Surgimiento, evolución y dificultades de diagnóstico de transexualismo. Rev Asoc Esp Neuropsiq, 2012; 32(113): 110. Belsué Guillorme K. Sexo, género y transexualidad: de los desafíos teóricos a las debilidades de la legislación española. Acciones e investigaciones sociales, 2011; 29: 17.

[76]   Jiménez C, Rodríguez M, Motilla K, Mascareñas J. La evaluación multidisciplinaria en disforia de género: reporte de caso y revisión de la literatura. Biomedicina 2015; 1 (1): 2. http://www.imed.pub/ojs/index.php/biomed/article/view/1337/1030 (Accedido el 7 de enero de 2016).

[77]   Benjamín H. The Transexual Phenomenon. Nueva York: The Julian Press, 1996; 12.

[78]   Laverde E. Transexualismo: un enfoque psiquiátrico. Revista de Psicología 1977-78, 22-23; 49.

La sistematización que se ha citado es solo una de las muchas que coexisten. Más adelante se hará referencia, entre otros, a los criterios de la Clasificación Internacional de Enfermedades (CIE, de la Organización Mundial de la Salud) o el Diagnostic Stadistical Manual (DSM, de la American Psychiatric Association).

Algunos autores también hacen una distinción entre transexuales tempranos y tardíos[79], en relación a si su condición la detectan a temprana edad o ya en un periodo posterior (alrededor de los 35 años). Lo importante de esta clasificación es que se ha hallado que en los transexuales tardíos «es más probable que después de la cirugía de reasignación se arrepientan de su nueva condición» y que «su orientación sexual fluctúa desde heterosexuales a bisexuales, homosexuales ocasionales y homosexuales»[80].

Antes de terminar este apartado también puede ser conveniente hacer alusión a las denominadas Drag Queens, por poderse asociar bien a travestis o a transexuales. Las Drag Queens son personas que se personifican como del sexo opuesto para actuaciones o entretenimiento, «pueden o no identificarse como transexuales y pueden ser homosexuales, lesbianas o bisexuales»[81]. Es decir, en sentido estricto no se les puede incluir en el grupo de travestis o transexuales aunque algunos de ellos sean lo uno u lo otro.

Por último hay que hacer referencia al denominado transgénero, se trata de quien rechaza la categorización en uno u otro sexo o género. Así, un «individuo transgénero puede poseer algunas características que normalmente se asocian a un determinado género, identificándose de otra manera dentro del continuo del género tradicional o existir fuera del mismo como "otro", "agénero", "intergénero", o "tercer

---

[79]   También denominado «transexualismo primario o core» y «transexualismo secundario». Gómez E, Esteva I, Bergero T. La transexualidad, transexualismo o trastorno de la identidad de género en el adulto: concepto y características básicas. C Med Psicosom 2006; 78: 8-9.

[80]   Cfr. Orozco G, Ostrosky-Solis F, Salin RJ, Borja KC, Castillo G. Bases Biológicas de la orientación sexual: un estudio de las emociones en transexuales. Revista Neuripsicología, Neuropsiquiatría y Neurociencias 2009; 9 (1): 12.

[81]   Orozco G, Ostrosky-Solis F, Salin RJ, Borja KC, Castillo G. Bases Biológicas de la orientación sexual: un estudio de las emociones en transexuales. Revista Neuripsicología, Neuropsiquiatría y Neurociencias 2009; 9 (1): 12.

género"»[82]. Para sustentar estas teorías hay que deconstruir el concepto de identidad masculina o femenina. En resumen desde esta perspectiva se contempla «el género como algo en constante proceso de transformación donde no exista la obligación de alcanzar una meta concreta»[83]. Más adelante se dedicará un capítulo al transgenerismo.

Tabla I

Algunas características que sirven para diferenciar entre transexual, travesti, Drag Queen y transgénero

	Cambio de género	Concordancia sexo biológico e identidad género	Se considera	Orientación sexual
Transexual	SI	NO	Disforia	Heterosexual (según identidad de género)
Travesti	NO	SI	Parafilia/ Evasión	Heterosexual
Drag Queen	SI/NO	SI/NO	Transexual/ Travesti	Heterosexual Homosexual Bisexual
Transgénero	SI/NO	SI/NO	Disforia (no siempre)	Heterosexual Homosexual Bisexual

---

[82]   Polo C, Olivares D. Consideraciones en torno a la propuesta de despatologización de la transexualidad. Rev Asoc Esp Neuropsiq 2011; 31 (110): 296.

[83]   Belsué Guillorme K. Sexo, género y transexualidad: de los desafíos teóricos a las debilidades de la legislación española. Acciones e investigaciones sociales, 2011; 29: 20.

4. NATURALEZA DEL TRANSEXUALISMO

4.1. Introducción

Una persona decide *cambiar de sexo* por tener un trastorno del desarrollo gonadal o por sentirse de un sexo contrario al que expresa su cuerpo. Aunque este trabajo se centra en la segunda situación, el de aquellos que no presentan una concordancia entre el sexo biológico y el cerebral, se considera conveniente realizar una pequeña descripción del primer grupo para mostrar que tienen unas características específicas y diferenciales que reclaman un tratamiento distinto al de los transexuales.

El desarrollo sexual de un individuo adopta una forma predominantemente masculina o femenina siguiendo la tendencia inscrita en los cromosomas sexuales desde la fecundación. «Sin embargo, cabe destacar que la Biología nos enseña además que no existe un varón que posea el 100% de los elementos masculinos ni una mujer que sea por analogía toda mujer. En cada sexo existen elementos del otro sexo. El sexo o identidad sexual de una persona resulta del predominio de los elementos de uno sobre los contrarios en plena armonía con los elementos psíquicos». Por lo tanto, hay una relativa intersexualidad «que permite hablar de un sexo dominante y otro latente que puede reactivarse en condiciones patológicas, determinando los estados íntersexuales»[84].

---

[84]   Camps M. Identidad sexual y Derecho. Estudio interdisciplinario del transexualismo. Pamplona: Eunsa, 2007; 85-6.

Tabla II
En color gris se muestra el grupo de población sujeto de estudio en este libro

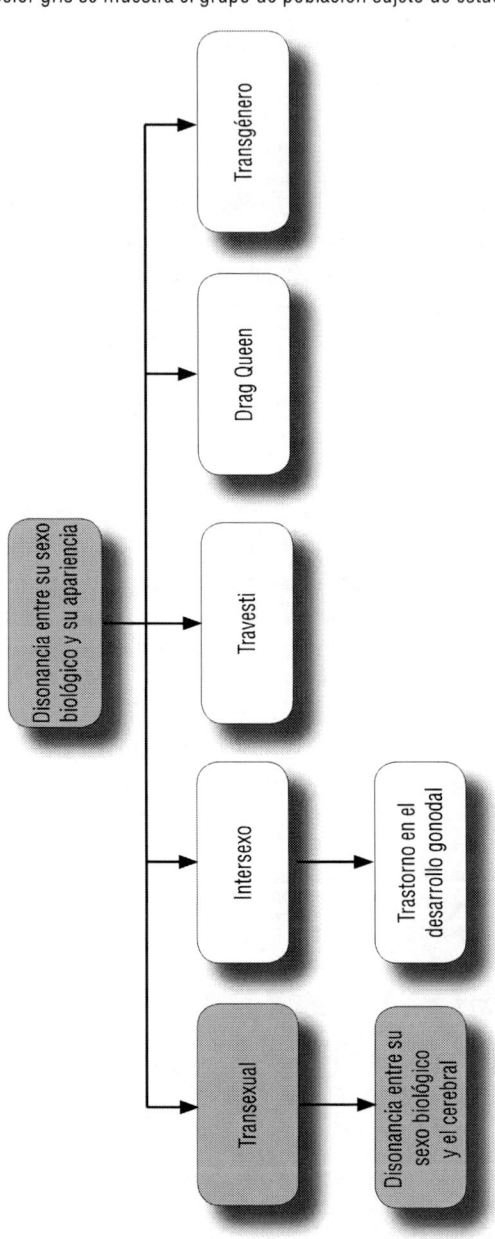

4.1.1. Trastorno del desarrollo gonadal (ovotesticular)[85]

4.1.1.1. Estados intersexuales

A los trastornos del desarrollo gonadal se les incluye bajo el epígrafe de *estados intesexuales* y vienen caracterizados por la contradicción entre uno o más de los criterios morfológicos que definen el sexo como son los cromosomas, gónadas, genitales internos y externos y los caracteres sexuales secundarios[86], «es decir existe en estos individuos una patología en alguno de los puntos de la cadena biológica que conduce a la diferenciación sexual»[87]. En un estado íntersexual coexisten elementos biológicos de ambos sexos debido a una patología de base orgánica que es capaz de generar problemas sicológicos de indentidad sexual[88]. Para Balza, los intersexuales «son el experimento natural que cuestiona el dimorfismo sexual»[89]. Sin embargo, también se podrían considerar que son la excepción que confirma la regla. Según el Colegio Americano de Pediatras «son desviaciones de la norma sexual binaria (...) Los individuos con trastornos del desarrollo sexual no constituyen un tercer sexo»[90].

---

[85] Se va a utilizar esta nomenclatura porque es la más frecuente en la bibliografía. No obstante, hay que señalar que en el año 2006 se decidió realizar un consenso de la nomenclatura adoptando el término general de *anomalías o trastornos de la diferenciación sexual (ADS)* con el objeto de desechar aquellos vocablos que se consideraba resultaban peyorativos como, por ejemplo, los de *intersexo* o *hermafrodistismo*. Lee PA, Houk CP, Almed SF. Consensus atatement on Management of intersex disorders. International Consensus Conference on Intersex. Pediatrics, 2006; 118 (2): e488-500.

[86] Sobre la evolución de los criterios de clasificación de los estados intersexuales se puede consultar: Cleminson R, Medina R. ¿Mujer u hombre? Hermafroditismo, tecnologías médicas e identificación del sexo en España, 1860-1925. Dynamis Acta Hisp. Med. Sci. Hist. Illus., 2004; 24: 53-91.

[87] Marcuello AC, Elósegui M. Sexo, género, identidad sexual y sus patologías. Cuadernos de Bioética 1999; 39: 459.

[88] Camps M. Identidad sexual y Derecho. Estudio interdisciplinario del transexualismo. Pamplona: Eunsa, 2007; 88.

[89] Balza I. Bioética de los cuerpos sexuados: transexualidad, intersexualidad y transgenerismo. Revista de Filosofía Moral y Política, 2009; 40: 246.

[90] American College of Pediatricians. Gender ideology harms children. 21 de marzo de 2016. http://www.acpeds.org/the-college-speaks/position-statements/gender-ideology-harms-children (Accedido el 11 de abril de 2016).

Los trastornos del desarrollo gonadal (ovotesticular) o las alteraciones genéticas que dan lugar a malformaciones gonadales no afectan para que el cerebro pueda seguir el patrón estructural de su sexo. Es decir, se trata de «una malformación que no conlleva efectos cerebrales, ni transexualismo»[91]. Entre estos casos se puede hacer referencia, por ejemplo, a la extrofia cloacal o la hiperplasia adrenal congénita[92]. En esos supuestos, en el caso de varones con órganos no bien diferenciados o prominentes, se acostumbraba a amputar los órganos masculinos, vistiéndolos y educándolos como niñas[93]. Es cierto que, en una primera aproximación parece la opción más sencilla ya que se podría aventurar que, en un futuro, tendrían problemas por la escasa diferenciación de sus órganos sexuales. No obstante, como ya se ha indicado anteriormente, su cerebro sigue el patrón estructural de su sexo y con la intervención quirúrgica no se soluciona el problema y se ha demostrado que de mayores acostumbran a tener problemas de identificación. Como bien indica Elósegui «en los intersexo no se produce un problema de identidad sexual: cada sujeto tiene un sexo asumido varón o mujer que para él no ofrece dudas»[94]. Un trabajo de Reiner, en el Hospital Hopkins, puso de manifiesto este hecho[95]. El citado investigador realizó un seguimiento a 16 niños con extrofia cloacal. 14 de ellos se sometieron a una reasignación neonatal al genero femenino (a 8 de ellos ya se les había orientado

---

[91]   López Moratalla N. La identidad sexual: personas transexuales y con trastornos del desarrollo gonadal. Cuadernos de Bioética 2012; XXIII: 348.

[92]   No son abundantes los datos estadísticos sobre la prevalencia de esta condición, de Juan y Pérez estiman que hay un caso por cada 5.500 nacidos (De Juan Herrero J, Pérez Cañaveras R. Sexo, género y biología. Feminismo/s, 2007; 10: 171) y Pelayo *et al.* señalan que la incidencia anual es de 1/4500 nacidos (Pelayo FJ, Carabaño I, Sanz FJ, La Orden E. Genitales ambiguos. Rev Pediatr Aten Primaria, 2011; 13 (51): 420).

[93]   «Es una realidad que en la mayoría de los casos, cuando se reconstruyen los genitales se reasigna al bebé al sexo femenino. Esta preferencia quirúrgica se debe a ala facilidad para realizar la operación, sin considerar las implicaciones para el futuro de la criatura». Vargas E. Bases de la diferenciación sexual y aspectos éticos de los estados intersexuales. Rev Reflexiones, 2013; 92 (1): 153.

[94]   Elósegui M. La transexualidad. Jurisprudencia y argumentación jurídica. Granada: Comares, 1999; 115.

[95]   Reiner WG, Gearhart JP. Discordant Sexual Identity in Some Genetic Males with Cloacal Exstrophy Assigned to Female Sex at Birth. N Engl J Med 2004; 350:333-341.

a un comportamiento femenino y los 6 restantes se educaban como varones). En cuanto a los dos restantes, los padres no accedieron a la reasignación y los criaron como niños. Después de un seguimiento a todos ellos, Reiner observó que en todos los casos tenían intereses típicos de los varones (caza, hockey, juego vigoroso, excitación por las mujeres, agresividad física,...) llegando a la conclusión de que la identidad sexual se adaptaba a la constitución genética.

4.1.1.2. Clasificación

Llegados a este punto es conveniente introducir una pequeña descripción de algunos de los estados intersexuales para que, de esta forma, sea mas fácil diferenciar cuando se hace referencia a uno de estos casos o al de un transexual. También puede ser interesante conocer un poco más de los citados estados intersexuales ya que su intervención quirúrgica se utiliza, en ocasiones, como ejemplo que se intenta extrapolar al caso de los transexuales y, como se podrá apreciar, son situaciones que presentan diferencias substanciales.

Ya se ha indicado que el par sexual, XX o XY, determina el sexo. Pero, «el determinismo del sexo es más intenso. Las células germinales —óvulos o espermios— de cada mujer y de cada varón tienen en el ADN, de todos y cada uno de los 22 pares de cromosomas restantes, unas marcas químicas específicas y una configuración espacial diferente. El hijo distingue el cromosoma de cada par procedente del padre, del procedente de la madre»[96]. Esa marca se denomina *impronta parental*[97] y deberá ser eliminada paulatinamente para ir moldeando el cuadro de instrucciones contenidas en los genes. «La disparidad en la expresión genética explica por qué varones y mujeres divergen en términos de riesgo, prevalencia y gravedad de algunas enfermedades»[98].

---

[96] López Moratalla N. La identidad sexual: personas transexuales y con trastornos del desarrollo gonadal. Cuadernos de Bioética 2012; XXIII: 350-1.

[97] Roig G, Concha ML. Impronta genómica y desarrollo embrionario. International Journal of Morphology, 2012; 30 (4): 1453-7; Monk M Genomic imprinting. Memories of mother and father. Nature, 1987; 328: 203-4.

[98] López Moratalla N. La identidad sexual: personas transexuales y con trastornos del desarrollo gonadal. Cuadernos de Bioética 2012; XXIII: 351.

En principio se pueden diferenciar cuatro apartados[99]: disgenesia gonadal, hermafroditismo masculino, hermafroditismo femenino y hermafroditismo verdadero.

A) Disgenesia gonadal

Estas alteraciones comprometen el desarrollo pleno de las gónadas. Esa gónada guiará la diferenciación sexual posterior. Por ello, en estos casos se observará que existe plena concordancia entre los genitales internos, externos y el sexo gonadal.

Síndrome de Turner: mujeres que tienen un solo cromosoma X (XO)[100], presentan infantilismo sexual, son de talla baja y tienen gónadas femeninas rudimentarias y son estériles[101]. El sexo asumido y asignado es el femenino. En cuanto al tratamiento, se les proporciona hormonoterapia de sustitución en sentido femenino y, en ocasiones, se procede a la cirugía en el clítoris por hipertrofia.

Síndrome de Klinefelter: cariotipo masculino con un X de más —47, XXY— que conlleva un anormal desarrollo de los testículos, ginecomastia, y deficiencia de andrógenos que en la mayoría de los casos conlleva infertilidad irreversible[102]. El sexo asumido y asignado es el masculino. En algún caso podrá ser recomendable la operación de reducción de pechos y es conveniente la terapia de testosterona a partir de la pubertad[103].

Disgenesia gonadal mixta: desorden del sexo cromosómico, caracterizado por la existencia de un testículo en un lado y un teste

---

[99]   Elósegui M. La transexualidad. Jurisprudencia y argumentación jurídica. Granada: Comares, 1999; 111-5. Otro criterio de clasificación se puede consultar en: Lee PA, Houk CP, Almed SF. Consensus atatement on Management of intersex disorders. International Consensus Conference on Intersex. Pediatrics, 2006; 118 (2): e488-500.

[100] López Moratalla N. La identidad sexual: personas transexuales y con trastornos del desarrollo gonadal. Cuadernos de Bioética 2012; XXIII: 350.

[101] Marcuello AC, Elosegui M. Sexo, género, identidad sexual y sus patologías. Cuadernos de Bioética, 1999; 39: 467.

[102] Camps M. Identidad sexual y Derecho. Estudio interdisciplinario del transexualismo. Pamplona: Eunsa, 2007; 91.

[103] Biblioteca Nacional de Medicina del NIH. Klinefelter syndrome. http://ghr.nlm.nih.gov/condition/klinefelter-syndrome (Accedido el 12 de febrero de 2016).

indiferenciado en el otro. «El fenotipo es masculino en el 30% de los pacientes y femenino en el 60%. El cariotipo es 45 X-46 XX (66%) o 46 XY (30%). Un tercio de los pacientes desarrolla alteraciones sugestivas de Turner. La localización testicular suele ser intraabdominal, aunque puede ser también escrotal (13%)»[104]. Los genitales externos presentan vagina inmadura e hipertrofia del clítoris, gónada inmadura y testículo rudimentario e intraabdominal. Tienen amenorrea. «El tratamiento implica la asignación de sexo, la gonadectomía y el cribado del tumor de Wilms. La decisión con respecto al sexo de crianza debe basarse en la posibilidad de la función normal de los genitales externos y las gónadas. Históricamente, dos terceras partes de los pacientes con disgenesia gonadal mixta han sido criados como mujeres»[105]. Tienen mejores posibilidades de desenvolverse en el sexo femenino que suele ser el sexo asignado «y por ello la terapia hormonal se dirigirá a apoyar el sexo femenino normalmente asumido y si es preciso cirugía plástica del pene si la virilización es importante»[106].

B) Hermafroditismo masculino

«También llamado pseudohermafroditismo masculino y masculinización incompleta con gónadas y estructura cromosómica masculina»[107]. Surge por dos causas: por fallo de regresión de los conductos de Müller o por defecto de la virilización.

Por fallo de regresión de los conductos de Müller: se produce por déficit de la hormona antimülleriana o por resistencia a ella[108]. Sexo cromosómico y gonadal masculino, genitales externos masculinos. Poseen trompas y útero más o menos desarrollado. El sexo asumido y

---

104   Clínica Universidad de Navarra. Diccionario Médico. http://www.cun.es/diccionario-medico/terminos/disgenesia-gonadal-mixta (Accedido el 12 de febrero de 2016).

105   Wein AJ. Campbell-Walsh Urología. Tomo 4. Buenos Aires: Editorial Médica Panamericana, 2009; 3812.

106   Marcuello AC, Elosegui M. Sexo, género, identidad sexual y sus patologías. Cuadernos de Bioética, 1999; 39: 467.

107   Marcuello AC, Elosegui M. Sexo, género, identidad sexual y sus patologías. Cuadernos de Bioética, 1999; 39: 467.

108   Pelayo FJ, Carabaño I, Sanz FJ, La Orden E. Genitales ambiguos. Rev Pediatr Aten Primaria, 2011; 13 (51): 421.

asignado es el masculino. El tratamiento consistirá en reforzar el sexo masculino[109].

Por defecto de la virilización: En este caso nos encontramos con dos posibilidades.

- *Defecto de síntesis de andrógenos*. Sexo gonadal y genético masculino con defectos de virilización por defecto de las principales enzimas que intervienen en la biosíntesis esteroidea. El sexo asumido y asignado es el masculino. Tratamiento de refuerzo con testosterona.

- *Resistencia a los andrógenos*. Tendrá dos manifestaciones, el Síndrome de Morris y el síndrome de feminización testicular incompleta.

  - *Síndrome de Morris*. Tienen alterados los receptores androgénicos y, por ello, tienen sexo gonadal, cromosómico y genital interno masculino. En cambio, los genitales externos y los caracteres sexuales secundarios son femeninos. Se suelen educar en el sexo femenino. Se recomienda, tras la pubertad, la exéresis de los testículos intrabdominales por el riesgo de neoplasia gonadal, «habrá que informarles de la imposibilidad de tener la regla y de tener hijos y en general mantener su orientación en sentido femenino; respecto a informarles de su condición cromosómica sólo en casos muy seleccionados será prudente hacerlo»[110].

  - *Síndrome de feminización testicular incompleta*. Se produce por una anomalía del receptor citosólico de los andrógenos o por défct aislado de 5-α-reductasa. Se presenta como varón, mujer o ambiguo con signos de virilización en la pubertad. El fenotipo suele ser femenino y, por esta razón, se le asigna a mujer[111]. No obstante el cariotipo es XY y tiene las gónadas y los genitales internos masculinos lo que ha he-

---

[109] Marcuello AC, Elósegui M. Sexo, género, identidad sexual y sus patologías. Cuadernos de Bioética 1999; 39: 459-76.

[110] Marcuello AC, Elósegui M. Sexo, género, identidad sexual y sus patologías. Cuadernos de Bioética 1999; 39: 468.

[111] Osorio V, Alonso FJ. Síndrome de feminización testicular incompleto. Archivo Español de Urología, 2006; 59 (2): 179-182.

cho platearse la posterior reasignación a varón con buenos resultados[112].

C) Hemafroditismo femenino

Anteriormente denominado pseudohermafroditismo femenino[113]. Gónada y sexo genético femenino (son XX) con un grado más o menos intenso de virilización. Se presentan como mujeres con signos de virilización. Tienen genitales internos femeninos pero sus genitales externos tienen fusión de pliegues labioescrotales y una variable hipertrofia del clítoris. Se asignan al género femenino y el tratamiento se dirigirá a potenciar el sexo asumido «con corrección plástica de genitales externos según el grado de afectación»[114].

D) Hermafroditismo verdadero

Tienen tejido ovárico y testicular. Dos tercios tienen el sexo cromosómico XX y el otro tercio XY. La mayoría cuenta con geniales externos masculinos. En cuanto a los genitales internos, tiene útero bien desarrollado o rudimentario y trompa, con estructuras procedentes del conducto de Wolf (próstata, vesícula seminal, etc.). En estos casos se procede a extirpar las gónadas antagónicas y proporcionar una terapia de ayuda al sexo asumido y asignado[115].

4.1.1.3. Caracterización y abordaje

Actualmente no hay problema para determinar el sexo genético de los niños o niñas que nacen con problemas de desarrollo gonadal[116].

---

112 Marcuello AC, Elósegui M. Sexo, género, identidad sexual y sus patologías. Cuadernos de Bioética 1999; 39: 468-9.
113 Pelayo FJ, Carabaño I, Sanz FJ, La Orden E. Genitales ambiguos. Rev Pediatr Aten Primaria, 2011; 13 (51): 421.
114 Marcuello AC, Elósegui M. Sexo, género, identidad sexual y sus patologías. Cuadernos de Bioética 1999; 39: 469.
115 Marcuello AC, Elósegui M. Sexo, género, identidad sexual y sus patologías. Cuadernos de Bioética 1999; 39: 469.
116 Como es lógico, en siglos pasados con la mentalidad que reinaba y la falta de conocimientos científicos y técnicos el abordaje de los estados intersexuales era bastante pasivo y discriminatorio al ser considerados como «monstruos». Con

No obstante, hace unos años se podía dar la situación de que algunos de los afectados, o de su entorno, no conocieran su propia realidad genética. Por ejemplo, esto es lo que se señaló, en los medios de comunicación, que sucedió a la atleta española María Patiño, que competía como mujer y tenía cromosomas XY. En su momento, el médico de la Federación, el doctor Fuentes, manifestó lo siguiente: «el caso de la atleta puede tratarse de una disgenesia gonadal pura o parcial»[117]. La única manera de saberlo era a través de una exploración y que pudiera tener o no menstruación y cabía la posibilidad de que fuera genitalmente una mujer, pero con características genéticas impropias de su sexo[118]. «Patiño, después de mucho tiempo luchando por aclarar su situación, logró que los doctores le explicaran que su problema era de tipo congénito llamado insensibilidad a los andrógenos[119]; lo que significaba que, aunque tuviera un cromosoma Y, y sus testículos produjeran testosterona de sobra, sus células no reconocían esta hormona masculinizante. Como resultado, su cuerpo nunca desarrolló

---

la llegada de la modernidad hay un cambio substancial de paradigma y el presupuesto de partida es que la naturaleza es imperfecta y, por ello, a veces se producen anomalías que la ciencia y sociedad humanas tienen que corregir. Cleminson R, Medina R. ¿Mujer u hombre? Hermafroditismo, tecnologías médicas e identificación del sexo en España, 1860-1925. Dynamis Acta Hisp. Med. Sci. Hist. Illus., 2004; 24: 59.

[117] Como ya se ha indicado anteriormente, «el término disgenesia gonadal se utiliza para designar el desarrollo anormal de la gónada fetal. La alteración gonadal puede asociar alteraciones en el desarrollo de los genitales internos y externos. Incluye diversas patologías, entre las que se encuentran el síndrome de Turner y sus variantes, la disgenesia gonadal completa 46XX o 46XY, la disgenesia gonadal parcial (DGP) 46XY o 45XO/46XY y el hermafroditismo verdadero». Cueto M, de Diego E, López M, Miranda P. Disgenesia gonadal parcial XY. Diagnóstico en edad adulta. Progresos de Obstetricia y Ginecología, 2011; 54 (11): 596.

[118] El caso de María Patiño nos lo relata Fausto-Sterling con los siguientes términos «puede que pareciera una mujer, que tuviera la fuerza de una mujer, y que nunca hubiera tenido ninguna razón para sospechar que no lo fuera, pero los exámenes revelaron que las células de Patiño tenían un cromosoma Y, y que sus labios vulgares ocultaban unos testículos. Es más, no tenía ni ovario ni útero». Fausto-Sterling A. Cuerpos sexuados. La política de género y la construcción de la sexualidad, 15. http://www.melusina.com/res_gene/cuerpos_sexuados.pdf (Accedido el 16 de marzo de 2015).

[119] Gottlieb B, Beitel LK, Trifiro MA. Androgen insensitivity syndrome. In: Pagon RA, Adam MP, Ardinger HH, et al., eds. GeneReviews 2014. http://www.ncbi. nlm.nih.gov/books/NBK1429/. (Accedido el 12 de febrero de 2016).

rasgos masculinos. Pero en la pubertad sus testículos comenzaron a producir estrógeno, como hacen los de todos los varones, lo cual hizo que sus mamas crecieran, su cintura se estrechara y su cadera se ensanchara»[120].

Otra posibilidad, diferente a la anterior, es que se produzca algún desajuste hormonal que a una mujer le haga tener algún desarrollo propio de los hombres sin dejar de tener una dotación cromosómica propia de una mujer. Por poner otro ejemplo deportivo, este es el caso de la atleta sudafricana Caster Semenya que, en los Mundiales de Berlín de 2009 generó un gran revuelo por su apariencia masculina. Según la información que se facilitó a los medios de comunicación «la corredora de 800 metros tendría (el resultado de su informe es privado) una alteración hormonal que provoca que su cuerpo produzca tres veces más andrógenos (hormonas masculinas) que la media de las mujeres. De ahí su aspecto "masculino", sobre todo por tener una musculatura más desarrollada». Pero el aspecto de las atletas con hiperandrogenismo (como se denomina este síndrome) no las convierten en hombres. La marca con la que Semenya ganó en Berlín (1 minuto y 55 segundos) no sólo no es el récord del mundo; de haber competido como hombre no habría pasado ni la primera ronda clasificatoria[121].

En conclusión, actualmente existen los medios suficientes para realizar una clasificación adecuada del estado intersexual que sufre un determinado sujeto. También es sabido, como se ha mostrado en los apartados anteriores, el camino más acertado de reconstrucción o tratamiento en cada uno de los supuestos. Sin embargo, como bien indica Carrillo, «a pesar de los grandes avances en los estudios de la regulación hormonal, genética y biología molecular en los estados intersexuales, hoy continúa siendo motivo de desconcierto y desorientación el hecho de encontrarse frente a un recién nacido con genitales ambiguos»[122].

---

[120] Fausto-Sterling A. Cuerpos sexuados. La política de género y la construcción de la sexualidad, 16. http://www.melusina.com/res_gene/cuerpos_sexuados.pdf (Accedido el 16 de marzo de 2015).

[121] Salas J. Los Juegos ponen en duda la sexualidad de las atletas. El País, 9.8.2012. http://esmateria.com/2012/08/09/los-juegos-ponen-en-duda-la-sexualidad-de-las-atletas/(Accedido el 16 de marzo de 2015).

[122] Carrillo S. Estados intersexuales: genitales ambiguos. Medisur, 2005; 3 (5): 54.

En algunos casos el problema se soluciona en la pubertad, en otros será conveniente ayudar con tratamiento hormonal o alguna pequeña intervención. En todos los casos se requerirá ayuda sicológica para que pueda aceptar su «anormalidad» (se quiere hacer constar que se utiliza esta expresión sin ánimo discriminador, simplemente como manifestación de una situación que no es la habitual o esperada mayoritariamente[123]).

Según Marcuello y Elosegui «en los intersexo no se produce un problema de identidad sexual: cada sujeto tiene un sexo asumido varón o mujer que para él no ofrece dudas; no hay un problema psicológico y no tienen en absoluto la percepción de pertenecer a un tercer sexo o de ser andróginos (ni siquiera en el hermafroditismo verdadero)»[124]. Sin duda, el problema suscitado por aquellos niños que nacen con características sexuales incompletas, tanto masculinas como femeninas, es grande y habrá que optar por aquellos procesos, médicos o legales, menos drásticos, agresivos e irreversibles[125]. López Moratalla señala que, en estos casos, no hay que tener ninguna prisa en asignar desde el nacimiento un sexo, de forma arbitraria[126]. Este mismo criterio es el mantenido por la Sociedad de Intersexuales de Norteamérica (ISNA) creada en 1993 por Cheryl Chase, que aboga para que no se realice la cirugía en bebés intersexuales a menos que haya una razón médica como orina bloqueada o dolorosa, etc. Según el ISNA la elección se debe dar a ellos cuando tengan la edad suficien-

---

[123] En sintonía con una de las acepciones que el Diccionario de la Real Academia de la Lengua otorga a la palabra anormal: «infrecuente».

[124] Marcuello AC, Elósegui M. Sexo, género, identidad sexual y sus patologías. Cuadernos de Bioética 1999; 39: 469.

[125] En este sentido, puede ser también extrema y ayudar poco a la solución del problema la decisión de un Tribunal francés, en el año 2015, al reconocer como de sexo neutro a un individuo que no tenía sus caracteres sexuales definidos. No obstante, los miembros del tribunal no pretendían reconocer un tercer sexo, simplemente quisieron mostrar que era imposible determinar si la persona era de un sexo o de otro. Zappalà D. «Sesso neutro», il si di un tribunale francese. Avvenire, 14 de octubre de 2015.

[126] López Moratalla N. La identidad sexual: personas transexuales y con trastornos del desarrollo gonadal. Cuadernos de Bioética 2012; XXIII: 348. La ISNA (Intersex National Association) mantiene que hay que «evitar la cirugía temprana a no ser que sea estrictamente necesaria» Cfr. Carrillo S. Estados intersexuales: genitales ambiguos. Medisur, 2005; 3 (5): 58.

te para decidir no cuando son bebés y no tienen voz[127]. No obstante, es muy probable que esos menores tengan problemas relacionales ya que en el momento de reconocer su cuerpo evidencian ciertas diferencias con el resto de sus amigos o amigas. Este hecho les ocasiona retraimiento en actividades comunes, más aún en aquellas que haya una cierta exposición pública del cuerpo.

En estos supuestos también cobra una vital importancia la ayuda y acompañamiento de los padres que deben otorgar el consentimiento para una intervención que tendrá gran repercusión en el desarrollo futuro de su hijo. Por ello, será necesario acompañar a los padres, y facilitarles una información adecuada, comprensible y sin sesgos[128].

Después de haber señalado lo anterior hay que dejar constancia de que estamos en una sociedad bastante dispuesta a discriminar a aquellos que no se ajustan a ciertos parámetros de normalidad (físicos, ideológicos, etc.), esos parámetros aceptados, y en ocasiones impuestos, por una mayoría. Por ejemplo, resulta penoso que a hombres con micropene se les haya amputado el órgano sexual y «convertido» en mujeres para que no se traumen con el lastre de la pequeña dimensión de su órgano sexual. Otra cosa bien distinta es intentar acomodar una situación orgánica realmente anómala (como las derivadas de algunos trastornos de diferenciación sexual) para que el individuo pueda sentirme mejor consigo mismo y su entorno. De ahí, que las intervenciones no están dirigidas, como mantienen algunos autores, a decirle al sujeto que es anormal o está enfermo, sino que tienen como finalidad proporcionarle unas condiciones más adecuadas para su convivencia. Por ejemplo, Vargas señala que «es difícil comprender las razones que llevan a justificar que a un ser intersexual congénito (o hermafrodita verdadero) no se le permita desarrollarse como tal. Lo que es peor es que estos individuos quedan completamente fuera del juego desde el

---

[127]   Department of Gender Studies. Hermaphrodites with attitude. Indiana University Bloomington. https://transgenderglobe.wordpress.com/2010/10/12/hermaphrodites-with-attitude/(Accedido el 21 de marzo de 2016).

[128]   Rico señala que en ese proceso incluso habrá que cuidar el lenguaje. Por ejemplo, utilizar la palabra criatura en vez de niño o niña para no predisponer a los padres hacía alguno de los dos sexos. Rico R. Ética de los estados intersexuales. Institut Borja de Bioètica. http://www.bioetica-debat.org/modules/news/article.php?storyid=714 (2 de marzo de 2016).

principio porque son convertidos en un "macho" o en una "hembra", corporalmente hablando»[129]. No estoy de acuerdo con esa afirmación, la autora se olvida de un dato fundamental, el sujeto intersexo es un ser humano que convive con otros, que se relaciona con otros y que, por supuesto, puede querer tener relaciones sentimentales con otras personas. Para alcanzar con éxito una situación de paz personal, y con el entorno, suele ser el mismo sujeto el que solicite ayuda para encontrar la estabilidad. Por ello, no es cierto que no se le deje desarrollarse como mantiene Vargas, sino que su desarrollo personal es el que exige una adecuación para poder ejercer aquel rol que siente como suyo.

Para terminar hay que constatar que ha sido, precisamente, la tecnología que se ha desarrollado para tratar y normalizar a los intersexo la que ha posibilitado las operaciones de cambio de sexo de los transexuales[130].

4.1.2. Disonancia entre el sexo biológico y cerebral

En este caso nos encontramos con sujetos sin ninguna anomalía genética y que presentan órganos sexuales saludables, estructuras reproductoras internas intactas, cromosomas XX o XY y no están asociados con ninguna enfermedad mental[131]. A este supuesto, el de los transexuales, es al que vamos a dedicar los siguientes apartados[132].

---

[129] Vargas E. Bases de la diferenciación sexual y aspectos éticos de los estados intersexuales. Rev Reflexiones, 2013; 92 (1): 152.

[130] Balza I. Bioética de los cuerpos sexuados: transexualidad, intersexualidad y transgenerismo. Revista de Filosofía Moral y Política, 2009; 40: 246.

[131] Orozco G, Ostrosky-Solis F, Salin RJ, Borja KC, Castillo G. Bases Biológicas de la orientación sexual: un estudio de las emociones en transexuales. Revista Neuripsicología, Neuropsiquiatría y Neurociencias 2009; 9 (1): 11.

[132] Como curiosidad se puede recordar que en el siglo XIX se incluía a los homosexuales en el grupo de los sujetos que presentaban una disonancia entre cuerpo y cerebro. Cleminson y Medina nos lo aclaran en los siguientes términos: «la persona homosexual, masculina o femenina, no tendría partes del cuerpo de ambos sexos sino que sufriría lo que los médicos entendían como una disyuntiva entre el cuerpo de un sexo (exterior) y la mente de otro (interior)». Cleminson R, Medina R. ¿Mujer u hombre? Hermafroditismo, tecnologías médicas e identificación del sexo en España, 1860-1925. Dynamis Acta Hisp. Med. Sci. Hist. Illus., 2004; 24: 56.

4.2. Causas del transexualismo

4.2.1. Introducción

Se han propuesto varias teorías para justificar el transexualismo. A lo largo de los años ha tenido una mayor vigencia una u otra. En un primer momento se le asignó un gran peso a cuestiones sociales, después se fue abriendo paso la teoría hormonal, la genética, la genética-hormonal, o la que hace referencia a la confluencia de cuestiones genéticas, hormonales y sociales. Lo bien cierto es que cada vez hay más datos que verifican que hay una influencia hormonal y genética que tiene una gran relevancia en el periodo fetal y perinatal del sujeto, esto es algo demostrable, no lo es tanto el grado de importancia de esos procesos en el desarrollo final del sujeto[133]. Sin embargo, los datos no son concluyentes en ningún sentido y llama la atención el hecho de que muchos autores (incluso médicos implicados en las operaciones quirúrgicas de reasignación de género) obvian la falta de evidencia debido a que ya no consideran interesante determinar cual es la causa, centrándose directamente en la técnica que llevan a cabo[134]. Algo muy propio de la ciencia actual que ha encumbrado los *cómo* y ha relegado los *por qué*[135].

4.2.2. Causas sociales

En la historia de la reasignación de género se puede comprobar como, en un primer momento, la insatisfacción con el sexo cromosó-

---

[133] Sin embargo, no hay que olvidar que hay muchas teorías que van desde aquellas que otorgan una gran relevancia a las cuestiones genéticas y hormonales a aquellas que no le dan una mayor relevancia. Por ejemplo, algunos autores mantienen que más que sexos hay niveles de sexuación que harían transformar el debate de la dualidad macho/hembra al de la «erosdiversidad», con distintos niveles: cromosómico, hormonal, anatómico, psicológico y social. Hernández M, Rodríguez G, García-Valdecasas J. Género y sexualidad: consideraciones contemporáneas a partir de una reflexión en torno a la transexualidad y los estados intersexuales. Rev Asoc Esp Neuropsiq 2010; XXX (105): 77.

[134] Usón A. Diagnóstico y tratamiento quirúrgico del transexual masculino y femenino. Zaragoza: Real Academia de Medicina, 2008; 25.

[135] Llano A. Ciencia y vida humana en la sociedad tecnológica. En: López Moratalla N. Deontología Biológica. Pamplona: Facultad de Ciencias de la Universidad de Navarra, 1987; 125-34.

mico se identificaba con cuestiones culturales[136]. No hay que olvidar que en las décadas de los sesenta y setenta del pasado siglo se creía que la identidad sexual en la niñez estaba tan poco diferenciada que era posible, a través del ambiente, criar a un varón genético como niña[137]. En este sentido, fueron un referente los trabajos de Money sobre la influencia de la crianza[138]. Este autor estudió personas que habían nacido con genitales ambiguos por alteraciones en la diferenciación sexual, consideró que la identidad de género «se relacionaba directamente con el sexo y la crianza, definiéndose ésta en los dos o tres primeros años de vida. En su formulación, el sexo se vincula a lo biológico, mientras que el género inscribe los componentes comportamental y social. La distinción de ambos términos se construye, pues, sobre la dicotómica relación entre naturaleza y cultura»[139]. La investigación de Money tuvo su lado oscuro en su «experimento» con David Raimer[140], de funestas consecuencias[141] y que, en contra de la

---

[136] Estas influencias pueden ser de dos tipos: las derivadas de los ejemplos recibidos en el ámbito familiar (rechazo, proximidad o anhelo por acercarse a algún progenitor), o las originadas en la adopción de roles. En este último caso, por ejemplo, los «estímulos dirigidos a la niña para que apoye decididamente a su madre a modo de "esposo" debido a que la familia necesita que cumpla esta función, y se alienta la conducta masculina y se desalienta la femenina hasta que las cualidades masculinas cristalizan en la consecuente identidad». Pera-Bajo F, Marote-González RM, Baladía-Olmedo C, García-Andrade C. Aspectos actuales de la transexualidad y su implicación médico-legal. Medicina Clínica, 2006; 126 (19): 752.

[137] Jiménez C, Rodríguez M, Motilla K, Mascareñas J. La evaluación multidisciplinaria en disforia de género: reporte de caso y revisión de la literatura. Biomedicina 2015; 1 (1): 2.
http://www.imed.pub/ojs/index.php/biomed/article/view/1337/1030 (Accedido el 7 de enero de 2016).

[138] Con ello se hace referencia a estímulos extrínsecos provenientes del ambiente familiar y social, de ahí que la explicación provenga de la sociosicología. Se indican numerosas causas: madres hiperprotectoras, hermanas objeto de numerosas atenciones, padres débiles, etc. Camps M. Identidad sexual y Derecho. Estudio interdisciplinario del transexualismo. Pamplona: Eunsa, 2007; 177.

[139] Polo C, Olivares D. Consideraciones en torno a la propuesta de despatologización de la transexualidad. Rev Asoc Esp Neuropsiq 2011; 31 (110): 289.

[140] Money J. Ablatio penis: normal male infant sex-reassigned as a girl. Arch Sex Behav 1975; 4 (1): 65-71.

[141] David Reimer nació en Canadá en 1965, en el transcurso de su circuncisión hubo un fallo con el cauterizador eléctrico ocasionando la abrasión de su pene que entró en necrosis y se desprendió de su cuerpo. Los padres acudieron a Money,

hipótesis inicial, terminó convirtiéndose en un claro ejemplo de que la identidad de género no depende solo de factores externos. En este debate también hay que tener en cuenta a Sigmund Freud y su teoría sobre la determinante relevancia de la familia en la orientación sexual de los individuos[142]; el conductismo de los años setenta del pasado siglo que hacía gravitar el peso de las características de la sexualidad al entrenamiento de las personas que nos rodean; o las propuestas de los años noventa sobre la influencia del medio familiar perturbado. No se pueden desechar ninguna de ellas y, ciertamente, cada persona se ve influida en su desarrollo, sexual o de cualquier otro tipo, por el entorno familiar o social. Sin embargo, a lo largo de los años se ha ido

---

famoso por mantener la teoría que defendía la inexistencia de una sexualidad innata. Money aconsejó a la familia de David que éste debía someterse a una operación de reconstrucción de una vagina artificial y recibir educación conforme a su nuevo género. David pasó a ser Brenda. El doctor encontró en este caso una buena ocasión para refutar sus teorías ya que David tenía un hermano gemelo. David/Brenda tuvo una infeliz adolescencia. Tanto David como su hermano Brian vieron sus vidas afectadas por el experimento y ambas terminaron con el suicidio. Regader B. El experimento más cruel de la historia de la Psicología: David Reimer. Psicología y Mente. http://psicologiaymente.net/psicologia/experimento-cruel-psicologia-david-reimer#! (Accedido el 25 de noviembre de 2015). Sobre David Reimer se puede consultar (aunque fue escrito antes de su fallecimiento): Colapinto J. As nature made him. The boy who was raised as a girl. New York: HarperCollins books, 2001. Como bien se indica en el libro, la vida de Reimer es un cuento macabro de arrogancia médica pero, ante todo, es un drama humano de una persona y su familia frente a terribles obstáculos.

142 En este sentido, Sgrecia señala que «a pesar del posible ingrediente genético, "la mayoría de los autores sostiene en cambio el origen sociopsicogénico de la transexualidad: serían los estímulos extrínsecos provenientes del ambiente social y familiar en el que vive el paciente, que determinan, por su precocidad y persistencia absoluta, la orientación sexual del transexual". La génesis de esta anomalía se debería a un proceso de identificación del niño con la madre y la hermana (hiperprotectoras y posesivas) ante la ausencia de una figura paterna consistente, proceso que lleva hasta el punto de inducir el impulso de convertirse en mujer». Sgreccia E. Manual de Bioética II. Aspectos médico-sociales. Madrid: Biblioteca de autores cristianos, 2014; 188. Camps llama la atención sobre el hecho de que una relación demasiado estrecha entre hijo y madre puede hacer que este no soporte la separación y por esa razón busque una identificación con ella (Camps M. Identidad sexual y Derecho. Estudio interdisciplinario del transexualismo. Pamplona: Eunsa, 2007; 177). Chiland también refuerza la idea de la influencia del rechazo al modelo de virilidad del padre (Chiland C. Homosexualité et transsexualisme. Adolescence, 1989; 7 (1):133).

evidenciando que estas cuestiones, por sí solas, no son suficientes para explicar todos los casos de transexualismo. Por ejemplo, no pueden justificar que, en situaciones de entorno o educación equivalente, se presenten resultados distintos en cuanto a la orientación sexual.

Belsué también realiza una aportación interesante sobre la relevancia de influencia social pero, que al igual que las que se han reseñado anteriormente, resulta insuficiente para justificar todos los supuestos de transexualismo. Según esta autora la presión de una sociedad basada en la normalidad de la heterosexualidad fomenta que haya más personas que quieran cambiar de sexo para así no cargar con la *presión no natural* (según las normas sociales vigentes) *de una relación homosexual*. Así, indica Belsué, «en los países en donde la homosexualidad goza de una mayor tolerancia social el número de personas que buscan el reconocimiento como transexuales es menor. Parece que de esta manera se pone de manifiesto la fuerza que la heterosexualidad tiene en las normas de género y como la aceptación de la homosexualidad las flexibiliza»[143]. Si se considera que la propuesta de Belsué tiene un grado suficiente de consistencia (parece difícil de aceptar que a un homosexual le sea mas complicado «salir del armario» que mostrarse como transexual) serviría como elemento para avalar la precaución en la reasignación de género, ya que lo que habría detrás del cambio no es una disforia sino un problema suscitado por la incapacidad para vivir conforme a una determinada orientación sexual.

Para terminar este apartado se puede señalar que cada vez son mas numerosos y rigurosos los estudios de distinto carácter (endocrinológico, psiquiátricos, etc.) que evidencian que la transexualidad no es sólo una construcción psicosocial[144]. Del mismo modo, cada vez hay más trabajos que señalan que el ambiente no es desdeñable y que hay que considerar el efecto de una compleja interacción de factores ambientales, biológicos y culturales[145].

---

[143]   Belsué Guillorme K. Sexo, género y transexualidad: de los desafíos teóricos a las debilidades de la legislación española. Acciones e investigaciones sociales, 2011; 29: 19.

[144]   López Moratalla N, Calleja A. Transexualidad: una alteración cerebral que comienza a conocerse. Cuadernos de Bioética, 2016; XXVII: 83.

[145]   Rosenthal SM. Approach to the patient: transgender youth: endocrine considerations. J Clin Endocrinol Metab 2014; 99: 4379-89.

4.2.3. Causas biológicas

Desde la perspectiva biológica, se ha hecho referencia a cuestiones genéticas[146], a modificación de niveles de hormonas sexuales, a alteraciones prenatales o factores externos como el estrés o la utilización de determinados medicamentos por parte de la madre en el periodo de embarazo[147].

La teoría genético-hormonal sirve tanto para las personas que se sienten de un sexo contrario como aquellas que tienen un trastorno del desarrollo gonadal. El origen vendría determinado por un gen, que lleva consigo la deficiencia de enzimas ligada al metabolismo de las hormonas sexuales, y que es capaz de alterar la pauta hormonal que traza las líneas maestras del patrón cerebral femenino o masculino, o que altera la estructura de los testículos o los ovarios[148].

---

[146]   Esta área está siendo el centro de atenciones en un intento de ofrecer explicaciones del transexuaismo desde la gética. Hengstschläger M, van Trotsenburg M, Repa C, Marton E, Huber JC, Bernaschek G. Sex chromosome aberrations and transsexualism. Fertility and Sterility, 2003; 79 (3): 639-40. En este sentido, hay dos datos que se proporcionan para avalar esta tesis. Una de ellas es el hecho de que «la proporción de transexuales en los gemelos monocigóticos alcanza el 50 por 100 mientras que en los dicigóticos sólo el 8,3 por 100. La segunda, que se ha constatado la ausencia del antígeno HY (proteína específica del sexo gonádico testicular) mientras que se lo ha encontrado presente en las mujeres transexuales». Blázquez N. Bioética general. Madrid: Biblioteca de Autores Cristianos, 1996; 484.

[147]   Entre ellos se encuentra el fenobarbital y la fenitoína cuando son utilizados en mujeres epilépticas durante el embarazo. Esas sustancias pueden cambiar el metabolismo de las hormonas sexuales y actuar en la diferenciación sexual del cerebro de los niños (Dessens AB, Cohen-Kettenis PT, Mellenbergh GJ et al. Prenatal exposure to anticonvulsants and psychosexual development. Arc Sex Behav, 1999; 28 (1): 31-44). Otro medicamento que se ha asociado con un aumento de casos de transexualidad es el dietilbestrol (Cfr. De Juan Herrero J, Pérez Cañaveras R. Sexo, género y biología. Feminismo/s, 2007; 10: 181). Este último medicamento, que fue muy utilizado para evitar abortos también se ha asociado con una aumento de la homosexualidad y bisexualidad (Titus-Ernstoff L, Pérez K, Hatch EE, Troisi R, Palmer JR, et al. Psychosexual characteristics of men and women exposed prenatally to diethylstilbestrol. Epidemiology 2003;14:155-60).

[148]   López Moratalla N. La identidad sexual: personas transexuales y con trastornos del desarrollo gonadal. Cuadernos de bioética 2012; XXIII: 344.

Tanto las gónadas como el cerebro son órganos sexuados[149]. Los genes codifican las hormonas sexuales, los receptores de estas, las enzimas que metabolizan las hormonas, etc. Por ejemplo, la acción directa de la testosterona en las células nerviosas en desarrollo del cerebro fetal hace que este se oriente en dirección masculina, mientras que en ausencia de esta hormona se orienta en dirección femenina[150]. Cuando se hace referencia a dirección masculina o femenina es en relación a la generación de una mayor o menor asimetría funcional de los hemisferios del cerebro, y la activación de los circuitos neuronales específicos del sexo que involucra al hipotálamo[151]. Así pues, «durante el periodo intrauterino la interacción entre las hormonas y los genes en el desarrollo de las células del cerebro es determinante de la programación del sexo cerebral, armonizado con el sexo genético, gonadal y genital»[152]. Sin embargo, hay autores que mantienen que

---

[149]   Reiner WG. Assignment of sex in neonatos with ambiguous genitalia. Currents Opinion in Pediatrics, 1999; 11: 363-5.

[150]   López Moratalla N. La identidad sexual: personas transexuales y con trastornos del desarrollo gonadal. Cuadernos de Bioética 2012; XXIII: 357.

[151]   Sobre esta cuestión hay que hacer referencia al trabajo de Zhou y col. Publicado en el año 1995. En una época en la que todavía tenía mucho peso las causas sociales como origen del transexualismo. Partieron de la evidencia de que el volumen de la subdivisión central del núcleo del lecho de la estría terminal (BSTc), un área del cerebro que es esencial para el comportamiento sexual, es mayor en los hombres que en las mujeres. Pues bien, encontraron que un BSTc de tamaño femenino en transexuales de hombre a mujer. Además, comprobaron que el tamaño del BSTc no se encontraba influido por las hormonas sexuales en la edad adulta y era independiente de la orientación sexual. En resumen, el Estudio de Zhou y col. fue el primero en mostrar una estructura cerebral femenina en transexuales genéticamente masculinos y vino a apoyar la hipótesis de que la identidad de género se desarrolla como resultado de una interacción entre el cerebro y las hormonas sexuales en desarrollo. Zhou JN, Hofman MA, Gooren LG, Swaab DF. A sex difference in the human brain and its relation to transsexuality. Nature, 1995; 378: 68-70.

[152]   López Moratalla N. La identidad sexual: personas transexuales y con trastornos del desarrollo gonadal. Cuadernos de Bioética 2012; XXIII: 359. La neurociencia ha detectado el cerebro del feto como el órgano más prometedor para entender por qué los transexuales se sienten atrapados en el cuerpo equivocado y para predecir si los niños nacidos con genitales ambiguos crecerán sintiéndose hombres o mujeres. En este sentido, Diamond mantiene que las personas con una condición intersexual o transexual consideran que el principal determinante del sexo es su cerebro y no sus gónadas. Cfr. Kraus C. Am I my brain or my genitals?

«no existe un conocimiento adecuado acerca de los efectos de los esteroides sexuales en el desarrollo y funcionamiento cerebral, que identifique las bases biológicas de la formación de la identidad de género en humanos»[153].

Una cuestión que es conveniente tener en consideración es que la diferenciación de los órganos sexuales y del cerebro se realiza en momentos diferentes, ello ocasiona que los órganos sexuales y el cerebro sigan rutas distintas y expresen los genes correspondientes en diferentes momentos[154]. Siguiendo a López Moratalla[155], esto justificaría la transexualidad: una persona puede tener estructuras gonadales y genitales de su sexo genético y estructuras cerebrales femeninas en un cerebro masculino y viceversa. Y, por el contrario, esto mismo también justificaría el trastorno del desarrollo ovotesticular: alteraciones genéticas que dan lugar a malformaciones gonadales —intersexo, hermafroditismo— mientras que su cerebro ha seguido el patrón estructural propio de su sexo. Ejemplos de ello son la extrofia cloacal, el síndrome de insensibilidad completa a andrógenos o la hiperplasia adrenal congénita a los que ya se ha hecho referencia en páginas anteriores.

En resumen, desde la perspectiva señalada en el párrafo anterior, y siguiendo a López Moratalla, «la transexualidad tiene una base biológica en la estructura funcional del cerebro». Será el cerebro, «y concretamente las conexiones cerebrales de las áreas que se integran en la red de percepción corporal las que sufren una alteración». Para ello, «existe una predisposición genética cuya causa parece deberse a

---

A nature-culture controversy in the hermaphrodite debate from the mid-1960s to the late 1990s. Gesnerus, 2011; 68 (1): 80-106.

[153] Moreno-Pérez O, Esteva de Antonio I. Guías de práctica clínica para la valoración y tratamiento de la transexualidad. Grupo de Identidad y Diferenciación sexual de la SEEN (GIDSEEN) (anexo 1). Endocrinol Nutr 2012; 3. doi: 10.1016/j.endonu. 2012/02/001.

[154] «El desarrollo del cerebro es posterior al de las gónadas sexuales, y son las hormonas que éstas segregan, junto a otros estímulos ambientales. Las que van conformando el cerebro de acuerdo con la sexualidad de la persona». Camps M. Identidad sexual y Derecho. Estudio interdisciplinario del transexualismo. Pamplona: Eunsa, 2007; 68.

[155] López Moratalla N. La identidad sexual: personas transexuales y con trastornos del desarrollo gonadal. Cuadernos de Bioética 2012; XXIII: 359.

la desregulación de la actividad de las hormonas sexuales durante el desarrollo prenatal y neonatal del cerebro. Los datos, de los que se disponen actualmente, apuntan a formas heredadas de genes polimorfos, ligados a la acción de las hormonas sexuales»[156].

Sobre el desarrollo de las estructuras cerebrales, se han realizado estudios de ellas en hombres, mujeres, homosexuales y transexuales. Los resultados ofrecen datos interesantes en cuanto a las similitudes y diferencias entre los distintos grupos[157]. Por ejemplo, se ha encontrado que en mujeres y transexuales HM[158] son iguales el área preóptica y el núcleo central de la cama de la estría terminal, mostrando una diferencia en hombres homosexuales y heterosexuales (Tabla III). Sin embargo, estos resultados son interpretados de distinta forma, desde aquellos investigadores que le dan un valor de representatividad en la diferencia a aquellos que mantienen que son una consecuencia de la acción y no el origen de la misma[159]. En este sentido, un dato a considerar es que las hormonas comienzan teniendo una función directiva en la diferenciación sexual pero, más tarde, es el cerebro el que lidera ese proceso. En palabras de Camps, «se trata de un cambio de roles directivos —apasionante, misterioso y todavía muy difícil de explicar— entre el sistema endocrino y el sistema nervioso»[160]. Torres *et al.*, en un estudio sobre la capacidad de las hormonas para modificar las capacidades cognitivas, al que ya se ha hecho referencia anterior-

---

[156]   López Moratalla N, Calleja A. Transexualidad: una alteración cerebral que comienza a conocerse. Cuadernos de Bioética, 2016; XXVII: 82.

[157]   Kreukels BP, Guillamon A. Neuroimaging Studies in people with gender incongruente. Int Rev Psychiatry 2016; 28 (1): 120-8.

[158]   Aquellos que son XY y que se sienten mujeres y reasignan su genero en esa dirección.

[159]   Se han realizado estudios sobre las diferencias de la morfología cerebral entre sexos y sobre si son diferencias atribuibles al medio hormonal específico del sexo. Por ejemplo, un trabajo llega a demostrar que el factor neurotrópico derivado del cerebro (BDNF) que está implicado en la plasticidad del cerebro es sensible a los esteroides sexuales pero no a la testosterona. Duer Mk, Hellger R, Briken P, Stalla GK, T'Sjoen G, Fuss J. Serum brain-derived neurotrophic factor (BDNF) is not regulated by testosterone in transmen. Biol Sex Differ, 2016; 7: 1. doi: 10.1186/s13293-015-0055-5. eCollection 2016 (Accedido el 3 de marzo de 2016).

[160]   Camps M. Identidad sexual y Derecho. Estudio interdisciplinario del transexualismo. Pamplona: Eunsa, 2007; 69.

mente, señalan que «dado que las modificaciones son mucho más evidentes en sujetos expuestos a niveles hormonales patológicos durante el desarrollo fetal y/o prepuberal con respecto a aquellos estudios que evalúan la influencia hormonal en sujetos adultos (tras la pubertad) estos resultados sugieren que las hormonas sexuales ejercen una influencia organizadora permanente en las estructuras cerebrales que sustentan las funciones cognitivas durante el desarrollo cerebral»[161].

Tabla III

Diferencias en estructuras cerebrales entre sexos y distintos tipos de orientación sexual. Tabla realizada por Orozco, Ostrosky-Solis, Salin, Borja y Castillo[162]

Diferencia	Estructuras
Más grande en mujer que en hombre	Comisura (área sagital medial) Cuerpo calloso (istmo y área sagital medial) Masa intermedia Núcleo supraquiasmático
Más grande en hombre que en mujer	Componente central del núcleo basal de la estría terminal Hipotálamo Segundo y tercer núcleo intersticial del hipotálamo anterior Núcleo sexualmente dimorfico de área preóptica Núcleo de Onuf de médula espinal
Mayor en homosexuales que en mujeres y hombres	Núcleo supraquiasmático
Igual en transexuales HM y mujeres y diferente a hombres homosexuales y heterosexuales	Área preóptica Núcleo central de la cama de la estría terminal

---

[161] Torres A, Gómez-Gil E, Vidal A, Puig O, Boget T, Salamero M. Diferencias de género en las funciones cognitivas e influencia de las hormonas sexuales. Actas Esp Psiquiatr, 2006; 34 (6): 413.

[162] Orozco G, Ostrosky-Solis F, Salin RJ, Borja KC, Castillo G. Bases Biológicas de la orientación sexual: un estudio de las emociones en transexuales. Revista Neuripsicología, Neuropsiquiatría y Neurociencias 2009; 9 (1): 15.

En cuanto a la densidad neuronal el rango numérico de las mujeres es similar al de los transexuales HM y el de los hombres al de los transexuales MH[163].

Para Rosello y Cabruja, partir de la teoría del desarrollo cerebral para explicar el transexualismo supone «situar las causas de la transexualidad en la organicidad, esta se construye como un objeto propio de estudio y la intervención médica, a la cual le correspondería el saber y la corrección de la supuesta discordancia. De esta forma, los tratamientos de la asignación sexual funcionan como técnicas artificiales de reajuste natural, justificados por la ficción de enraizar en el cuerpo los modelos reguladores del ser o sentirse hombres o mujeres» (…) con ello, «construcciones sociales son naturalizadas e instauradas como una cuestión intrínseca de los cuerpos. Así, la potencia política del género queda diluida entre moléculas hormonales y tejidos cerebrales»[164]. Hay autores que, ante las discrepancias cerebrales y hormonales, mantienen que el comportamiento del sujeto es capaz de llegar a alterar tanto la sicología como la biología del individuo y, de la misma forma que las influencias sociales alteran el comportamiento, los estímulos sociales pueden llegar a modificar algunas medidas biológicas como, por ejemplo, la morfología del cerebro[165].

Lo mantenido en los anteriores párrafos da a entender la disparidad de criterios y dificultad para asignar una causa única al transexualismo. Lo bien cierto es que, después de realizar un estudio de la bibliografía sobre el tema, se llega a la conclusión de que ninguna de las teorías es plenamente satisfactoria y una de las causas, como mantiene algún autor, es que «se ven atravesadas por nuestras teorías sobre el sexo y el género»[166]. De ahí que hay investigadores que parten del hecho, para ellos evidente, de que se desconoce su etiología.

---

[163]   Aquellas que son XX y que se sienten hombres y reasignan su genero en esa dirección.

[164]   Rosello M, Cabruja T. Bio-Ciencia-Ficción: la biologización de la identidad en los discursos médicos y clínicos de la transexualidad. Quaderns de Psicologia 2012; 14 (2): 117.

[165]   Breedlove M. Sexual differentiation of the human nervous system. Annual Review of Psychology 1994; 5: 391.

[166]   Hernández M, Rodríguez G, García-Valdecasas J. Género y sexualidad: consideraciones contemporáneas a partir de una reflexión en torno a la transexualidad y los estados intersexuales. Rev Asoc Esp Neuropsiq 2010; XXX (105): 79.

Por ejemplo, Puig y col. mantienen que «su etiología no se conoce por el momento, no habiéndose descrito ninguna alteración del sexo genético en estos sujetos, siendo el cariotipo el que corresponde al sexo biológico. Así pues, la etiología de estos trastornos sigue siendo hasta la actualidad, fruto de teorías y conjeturas diversas»[167]. Hay otra cuestión a tener en consideración, es el hecho de que según sea el área de conocimiento del profesional estudioso hay una mayor posibilidad de que se otorgue un mayor peso a una u otra teoría. Sin embrago, es necesario que estas dudas se solventen para ofrecer un adecuado asesoramiento a aquellos sujetos que se sienten de un sexo contrario al que explicita su biología. Necesidad que recobra un especial significado cuando la persona se plantea ser sometido a una reasignación de género que, en todo caso, conlleva un proceso agresivo e irreversible.

4.3. Diagnóstico del transexualismo

4.3.1. Patología, desorden, trastorno o estado normal

Una de las cuestiones, en torno al transexualismo, que ha generado más debate ha sido la de su consideración como enfermedad, trastorno mental[168], trastorno de la diferenciación sexual o su despatologización[169]. Más adelante se mostrará como ha evolucionado esta cuestión en el tiempo a través de los distintos parámetros de diagnóstico. Pero antes de continuar es conveniente hacer alusión a la complejidad que presenta el concepto de enfermedad en el ámbito de la psiquiatría, «muchas patologías psiquiatricas no pueden acogerse al concepto mé-

---

[167]   Puig M, Halperin I. Papel del endocrinólogo en el diagnóstico y tratamiento de la transexualidad. Cuadernos de Medicina Psicosomática y Psiquiatría de Enlace, 2006; 78: 25.

[168]   Bustos lo clasifica como trastorno psiquiátrico grave que distorsiona la percepción de la realidad. Bustos Y. La transexualidad de acuerdo a la Ley 3/2007, de 15 de marzo. Madrid: Dykinson, 2008; 44.

[169]   Hasta los años noventa del pasado siglo era muy frecuente que se considerara como una patología. Por ejemplo, Elósegui en 1999, haciendo referencia al sexo sicológico, indica que «su patología más severa la representan los transexuales» (Elósegui M. La transexualidad. Jurisprudencia y argumentación jurídica. Granada: Comares, 1999; 93). En cambio, la tendencia actual es a su despatologización e, incluso, aunque se pueda aceptar como una patología se tiende a no utilizar esta palabra o buscar sinónimos que aleje al receptor del mensaje de esa idea.

dico de enfermedad relacionado con un complejo etiológico y clínico, identificable y estable. Los sistemas de clasificación psiquiátrica han intentado mitigar estas dificultades introduciendo el término *trastorno mental*»[170]. De esta forma, en el ámbito de la psiquiatría es difícil establecer los límites entre lo patológico y lo que no lo es y, por supuesto, no se debe confundir lo anormal con lo patológico. Obviando esta dificultad lo bien cierto es que cualquier tratamiento medico, o la mayoría de los procedimientos legales que afectan a transexuales, tienen que comenzar con un informe diagnóstico elaborado por un experto en salud mental. Los transexuales se someten a una intensa evaluación y asesoramiento psicológico. Este proceso no es para convencer al sujeto para que renuncie a su transexualismo (siguiendo con la terminología que se ha planteado al inicio de este párrafo, no se *trata de curar* este trastorno), sino para determinar la viabilidad del drástico e irreversible proceso de reasignación de género[171] o para obtener algún determinado beneficio legal como puede ser, por ejemplo, un cambio registral.

En los siguientes párrafos se va a realizar una descripción de las distintas formas en las que se ha contemplado el transexualismo desde la dicotomía salud-enfermedad.

4.3.1.1. Transexualismo como patología genética

Si se mantiene que el transexualismo tiene una base genética se podría indicar que es una patología. En este caso, sería una patología que puede ser tratada con hormonas del sexo contrario, reasignación de género mediante cirugía, etc. Según algunos autores, con ese «tratamiento», en el que algunos incluyen los procesos sociales y legales que le permitan sentirse del género deseado, la patología dejaría de serlo[172]. Es decir, que habría un remedio que solucionaría una situación anómala.

---

[170]   Polo C, Olivares D. Consideraciones en torno a la propuesta de despatologización de la transexualidad. Rev Asoc Esp Neuropsiq 2011; 31 (110): 287.

[171]   Bustos Y. La transexualidad de acuerdo a la Ley 3/2007, de 15 de marzo. Madrid: Dykinson, 2008; 47-9.

[172]   Soley-Beltrán P. Transexualidad y transgénero: una perspectiva Bioética. Revista de Bioética y Derecho 2014; 30: 35.

En cambio, otros investigadores piensan que con las intervenciones de cambio de género la patología no ha desaparecido porque el transexual va a necesitar durante toda su vida de las hormonas, etc. Es decir, según esta proposición, los transexuales se verían afectados por una patología que requeriría de un tratamiento continuo, el problema no se resolvería definitivamente sino que se le daría un tratamiento de mantenimiento. Bajo esta perspectiva, se podría identificar con una patología crónica que tiene remedios para paliar algunas manifestaciones pero no para erradicar el problema de base. Con este planteamiento se aduce que la intervención quirúrgica y farmacológica no soluciona el problema sino que palia sus consecuencias. Así, el Dr. Money señala que «la reasignación de sexo —social, hormonal, quirúrgica y legal— es un tratamiento de mejoría y rehabilitación para el transexual»[173].

4.3.1.2. Transexualismo como enfermedad mental

Durante mucho tiempo el transexualismo fue considerado una enfermedad mental. Llama la atención que aquellos que sostenían esta tesis apoyaban su superación por métodos hormonales y quirúrgicos. Como bien indican Fernández y García-Vega resulta curioso que el transexualismo se diagnostique como una enfermedad mental pero que no se trate como tal. Efectivamente, cuando «una persona declara su transexualidad, la intervención no consiste en persuadirle con métodos psicoterapéuticos o farmacológicos para que adecue el género sentido al sexo biológico» ya que «esos tratamientos son ineficaces cuando tratan de invertir la identificación con el género opuesto» (...) «por tanto, es una enfermedad mental que paradójicamente "se cura" cuando se atienden los síntomas a través del tratamiento hormonal y quirúrgico»[174]. En este punto, nos podríamos formular la pregunta de si con las anteriores premisas se puede sostener que realmente sea una enfermedad mental y si, en ese caso, con hormonas y cirugía se está en condiciones de remediarla.

---

173 Money J. Revista Futuros, 2006; IV (14). http://www.revistafuturos.info (Accedido 16.3.2015).
174 Fernández. M, García-Vega E. Surgimiento, evolución y dificultades de diagnóstico de transexualismo. Rev Asoc Esp Neuropsiq, 2012; 32(113): 113.

4.3.1.3. Transexualismo como desorden

El transexualismo también se ha considerado como un desorden que requiere de la aplicación de unas terapias psicológicas, hormonales o quirúrgicas. De esta forma se hace referencia a una «terapia transgénero». Ya se ha hecho alusión a que, desde la siquiatría, no se suele hacer referencia a enfermedad sino a trastorno, como se mostrará más tarde en el Diagnostic Stadistical Manual de la American Phychiatric Association. En este sentido, se puede señalar que el desarrollo cerebral y capacidad mental en la transexualidad no suele estar alterado, y «los estudios que evalúan psicopatología en estos pacientes no encuentran grado mayor que en población general»[175]. No obstante, la situación de no acomodo con su cuerpo físico lleva al sujeto a tener pensamientos de culpa y minusvalía que, con gran frecuencia, desembocan en situaciones de depresión y ansiedad[176].

4.3.1.4. Transexualismo como una forma de manifestarse el ser humano

Por último, también hay ciertos autores que indican que todo este dialogo, sobre lo que es o no el transexualismo, se asienta en la ficción de establecer que el transexual es una forma errónea de manifestarse como persona. Es decir, de establecer unos parámetros como anormales que llevan a la discriminación de ciertos sujetos. Por ejemplo, Belsúe, compara el proceso seguido por el transexualismo y por el de la diferencia racial, en cuanto que ambas son situaciones que viven una incomprensión. Sin embargo, según la citada autora, la diferencia de raza se considera hoy una aberración y, en cambio, «se ha creado una enfermedad donde no existía y se ha inventado la transexualidad» (...) «esto es así porque la mayor parte de la clase médica ha venido manteniendo que estas personas presentan una incoherencia entre el

---

[175] Gómez E, Esteva I, Bergero T. La transexualidad, transexualismo o trastorno de la identidad de género en el adulto: concepto y características básicas. C Med Psicosom 2006; 78: 11.

[176] Jiménez C, Rodríguez M, Motilla K, Mascareñas J. La evaluación multidisciplinaria en disforia de género: reporte de caso y revisión de la literatura. Biomedicina 2015; 1 (1): 4.
http://www.imed.pub/ojs/index.php/biomed/article/view/1337/1030 (Accedido el 7 de enero de 2016).

sexo y el género que es imposible de modificar. Consideran que ambos son elementos inmutables. Desde esta perspectiva se ofrece como única salida la modificación corporal, mediante hormonas y/o cirugía de resignación, para crear una ficción de sexo. Esto conduce a la paradoja de que la imposibilidad de sanación se produce precisamente porque no hay nada que sanar»[177]. Y concluye afirmando que «el problema no radica en la transexualidad sino en que esta no sea aceptada socialmente»[178]. Estas premisas tienen su grado de lógica pero adolecen de una cierta simplicidad al no tener en consideración la especial situación del transexual. Por ejemplo, se apela al ejemplo racial y la superación de su discriminación pero, sin embargo, no se abordan las grandes y sustanciales diferencias que hay entre esos casos. La integración racial no ha llevado consigo cambios en el sujeto (por ejemplo, no se trata de despigmentar o de cambiar rasgos faciales) y simplemente requiere de la aceptación social. En cambio, el transexual siente una aversión a sus órganos sexuales y a la apariencia derivada de su dotación cromosómica y, por ello, reclama un tratamiento hormonal y quirúrgico para que el propio sujeto se acepte a sí mismo.

4.3.2. La evolución del diagnóstico de transexualismo

El endocrinólogo Harry Benjamín[179] definió los criterios básicos de diagnóstico del transexualismo en el libro «The transexual Phenomenon», publicado en 1966[180]. «El autor consideraba que la transexualidad era una enfermedad que no se podía curar con psicoterapia y que exigía la educación del cuerpo al género al que por convicción psicológica se pertenecía»[181]. Ese mismo año se publica el CIE-8 (Clasificación

---

[177]   Belsué Guillorme K. Sexo, género y transexualidad: de los desafíos teóricos a las debilidades de la legislación española. Acciones e investigaciones sociales, 2011; 29: 14.

[178]   Belsué Guillorme K. Sexo, género y transexualidad: de los desafíos teóricos a las debilidades de la legislación española. Acciones e investigaciones sociales, 2011; 29: 15.

[179]   Este autor definió el transexualismo en 1953 en los siguientes términos: «asociación entre normalidad biológica y la convicción de pertenecer a otro sexo y en consecuencia con el deseo de cambiar de sexo». Benjamín H. Transvestism and transsesualism. International Journal of Sexology, 1953; 7: 12-14.

[180]   Originally published by The Julian Press, Inc. Publishers, New York (1966). http://www.mut23.de/texte/Harry%20Benjamin%20-%20The%20Transexual%20Phenomenon.pdf (Accedido el 10 de marzo de 2015).

[181]   Polo C, Olivares D. Consideraciones en torno a la propuesta de despatologización de la transexualidad. Rev Asoc Esp Neuropsiq 2011; 31 (110): 289.

Internacional de Enfermedades) y se considera el travestismo como una desviación sexual. Es en el CIE-9, en 1978, donde aparece por primera vez el diagnóstico de transexualismo en una clasificación internacional, que abre un proceso evolutivo del diagnóstico que ha llegado hasta nuestros días. Así, en 1980, el DSM-III (Diagnostic Stadistical Manual de la Asociación Psiquiátrica Americana) recoge el diagnóstico de transexualismo en la nomenclatura oficial[182]. En esta clasificación se incluía a individuos con disforia de género que hubieran demostrado tener, a lo largo de al menos dos años, un continuo interés en transformar el sexo de sus cuerpos y su estatus social de género. La disforia de género[183] «denota sentimientos intensos y persistentes de malestar con el sexo asignado, así como el deseo de poseer el cuerpo del otro sexo y de ser considerado por los demás como un miembro del otro sexo»[184].

Tabla IV
Evolución del diagnóstico de transexualismo en distintos Sistemas
Internacionales de Clasificación

AÑO	SISTEMA DE CLASIFICACIÓN	DIAGNOSTICO DE	CONSIDERACIÓN
1966	CIE-8	TRAVESTISMO	DESVIACIÓN SEXUAL
1978	CIE-9	TRANSEXUALISMO	DESVIACIÓN Y TRASTORNO SEXUAL
1980	DSM-III	TRANSEXUALISMO	TRASTORNO DE LA IDENTIDAD SEXUAL
1992	CIE-10	TRANSEXUALISMO	TRASTORNO DE LA IDENTIDAD DE GÉNERO
1994	DSM-IV	TRANSEXUALISMO	TRASTORNO DE LA IDENTIDAD DE GÉNERO
2013	DSM-V	TRANSEXUALISMO	DISFORIA DE GÉNERO

[182] Actualmente, los principales sistemas de clasificación son el CI y el DSM.
[183] Hay alguna discrepancia sobre quien introdujo el concepto, se suele atribuir a Fisk. Fisk NM. Gender dysphoria syndrome: the conceptualization that liberalizes indications for total gender reorientation and implies a broadly based multidimensional rehabilitative regimen. West J Med 1974; 120: 386-91.
[184] Fernández. M, García-Vega E. Surgimiento, evolución y dificultades de diagnóstico de transexualismo. Rev Asoc Esp Neuropsiq, 2012; 32(113): 111.

La DSM IV cambia el término transexualismo por el de Trastorno de la Identidad de Género (TIG) y no se considera necesario que se quiera transformar el cuerpo para ser diagnosticable. La cuestión de que para el diagnóstico no sea un requisito la transformación del cuerpo tiene una gran relevancia ya que, a partir de este momento, se convierte en una premisa que comienza a ser tenida en consideración y asumida por la legislación de diversos países. Este es un paso decisivo en el paulatino reconocimiento de los transgénero en detrimento de los transexuales.

Tabla V
Criterios de clasificación internacional, DSM-IV-TR y CIE-10, para la condición transexual realizado por Orozco et al[185]

Criterios DSM-IV-TR	Clasificación CIE-10
1. Desorden de identidad de género y/o identificación persistente con el género opuesto.	1. Deseo de vivir y ser aceptado como miembro del sexo opuesto, malestar y desacuerdo con el sexo anatómico.
2. Malestar persistente con el sexo biológico o sensación de que es inapropiado el rol de género de este sexo.	2. Deseo de someterse a tratamiento médico.
3. No tener una condición física de intersexo (síndrome de inestabilidad a los andrógenos, hiperplasia adrenal congénita).	3. Identidad transexual por lo menos los últimos dos años.
4. Deterioro significativo clínico o social, ocupacional o entre otras áreas de función.	4. No ser síntoma de otros desorden mental o anormalidad cromosómica.

Roselló y Cabruja indican que «la unidad y coherencia del sentirse hombres o mujeres con los rasgos fisiológicos-anatómicos homogeneizados y construidos como radicalmente distintos en la sexuación dualista, es sinónimo de salud y, por tanto, permite la viabilidad de las vidas en cuestión. En cambio, el "desajuste" esta inscrito en la no-

---

[185] Orozco G, Ostrosky-Solis F, Salin RJ, Borja KC, Castillo G. Bases Biológicas de la orientación sexual: un estudio de las emociones en transexuales. Revista Neuripsicología, Neuropsiquiatría y Neurociencias 2009; 9 (1): 13.

sología psiquiátrica y es objeto de tratamiento. Su nombre: trastorno de la identidad sexual (DSM IV) o transexualismo (CIE10)»[186]. Por su parte, otros autores mantienen que la dificultad en el diagnóstico se encuentra en que los elementos de diagnóstico, aportados por CIE o por DSM, son exclusivamente culturales porque el problema «no se encuentra en aquellas personas que sienten que algo no encaja entre su cuerpo y su mente. El problema está en el modelo que hace que esas personas sienten que algo no encaja entre su cuerpo y su mente, un modelo que por otra parte se nos presenta como dado, esto es, como anterior a nuestra cultura»[187].

Orozco y col. destacan una cuestión, relacionada con las clasificaciones anteriores, que genera tensión dialéctica. Es el hecho de que si las personas que viven la condición transexual son biológicamente normales cabría preguntarse cual es la razón por la que se les incluye en el apartado de «trastornos». Y contestan señalando que «esto obedece a que se considera un trastorno porque provoca un sufrimiento significativo y dificulta el funcionamiento en las distintas áreas de la vida (pareja, familiar, social y laboral)»[188]. Para solucionar esta situación, en el borrador del DSM V ya se propuso que el trastorno de la identidad sexual pasara a llamarse incongruencia de género (gender incongruence). Al final, el DSM V[189] lo clasificó como «disforia de género», es decir, la angustia que sufre la persona que no está identificada con su sexo masculino o femenino.

Otra cuestión a tener en consideración, relativa a las clasificaciones de diagnóstico de transexualismo, es la influencia que puede tener para un menor una cierta presión para buscar una solución a un estado de incertidumbre o de desencuentro personal que le lleve a

---

[186]   Roselló M, Cabruja T. Bioética-ciencia-ficción: la biologización de la identidad en los Discurso Médicos y Clínicos de la Transexualidad. Quaderns de Psicologia 2012f 14 (2): 113.

[187]   Hernández M, Rodríguez G, García-Valdecasas J. Género y sexualidad: consideraciones contemporáneas a partir de una reflexión en torno a la transexualidad y los estados intersexuales. Rev Asoc Esp Neuropsiq 2010; XXX (105): 81.

[188]   Orozco G, Ostrosky-Solis F, Salin RJ, Borja KC, Castillo G. Bases Biológicas de la orientación sexual: un estudio de las emociones en transexuales. Revista Neuripsicología, Neuropsiquiatría y Neurociencias 2009; 9 (1): 12.

[189]   American Psychiatric Association. Desk Reference to the Diagnostic Criteria from DSM-5. Arlintong: American Psychiatric Association, 2013; 215-8.

un cambio de sexo sin un malestar evidente[190]. Esta situación añade una complicación real al diagnóstico. En este sentido, hay que tener mucha precaución para determinar cuando existe una auténtica disforia o hay trastornos del desarrollo psicosexual, enfermedad orgánica, trastornos sicóticos, trastorno obsesivo compulsivo, trastorno grave de la personalidad o alteraciones de comportamiento provocadas por problemas de adaptación, o presión, familiar, social o escolar. En otro apartado será abordada esta cuestión con más profundidad.

4.3.3. La plasmación del diagnóstico en la legislación

No cabe duda de que el legislador tiene que conocer si el transexualismo es una patología o un estado normal de la vida a fin de otorgarle o limitarle nuevos beneficios. De ahí que observando cualquier declaración internacional o disposición legal referente a este asunto se pueda intuir cual es la situación de base que se quiere proteger, limitar o desarrollar. Por ejemplo, la promulgación de los principios de Yogyakarta[191] referentes a la Aplicación del Derecho Internacional de Derechos Humanos a las Cuestiones de Orientación Sexual e Identidad de Género, presentados en la Asamblea de Derechos Humanos de la ONU en 2007, mantiene que «la orientación sexual y la identidad de género de una persona no son, en sí mismas, condiciones médicas y no deberán ser tratadas, curadas o suprimidas».

El ámbito legal excede el objeto de este trabajo. Sin embargo, se va a realizar una breve aportación sobre esta cuestión para dejar constancia de la importancia del diagnóstico del transexualismo en la sustentación de las medidas legales adoptadas. Por otra parte, también es importante conocer que las disposiciones positivas de cada país podrán favorecer, o dificultar, los cambios de género, la financiación de la cirugía necesaria para ello o el tratamiento farmacológico coadyuvante.

En muchas ocasiones se identifica, e incluso se limita, la cuestión legal referente al transexualismo con la autorización o no de las in-

---

[190]   Polo C, Olivares D. Consideraciones en torno a la propuesta de despatologización de la transexualidad. Rev Asoc Esp Neuropsiq 2011; 31 (110): 293.
[191]   Principios de Yogyakarta. Marzo de 2007.
    http://www.oas.org/dil/esp/orientacion_sexual_Principios_de_Yogyakarta_2006.pdf (Accedido el 30.3.2015).

tervenciones quirúrgicas para la reasignación de género. Sin embrago, el campo que abarca la problemática legal es mucho mas extensa y se amplía al reconocimiento civil, al matrimonial, etc[192]. Por ejemplo, el Tribunal Europeo de Derechos Humanos tuvo que pronunciarse en el caso Rees contra el Reino Unido (Sentencia de 17 de octubre de 1986) promovido por una mujer británica que cambió su género a varón siendo aceptado en su país el cambio de nombre, incluso en el pasaporte, pero que, sin embargo, se le denegó el tratamiento de «Sr.»; o el de un hombre británico que se transformó en mujer y después solicitó casarse con un varón italiano (Sentencia de 27 de septiembre de 1990)[193].

Por su parte, en España, hay que hacer alusión al Real Decreto de 29 de agosto de 1986, de modificación de determinados artículos del Reglamento del Registro Civil incluyendo las rectificaciones de sexo entre los datos que no se puede dar publicidad. Las operaciones de cambio de sexo se despenalizaron en la Reforma del Código Penal de 1983 (artículo 428). Será en 1999 cuando el Gobierno andaluz aprobó la prestación sanitaria a transexuales en su sistema sanitario público. Posteriormente, en la Ley 3/2007 reguladora de la rectificación registral de la mención relativa al sexo de las personas[194] establece los criterios para la inscripción en el Registro civil contemplando el cambio de nombre para que no resulte discordante con el sexo reclamado. Para ello se requiere de un diagnóstico psiquiátrico que certifique que hay una disforia de género, no exige intervención quirúrgica pero si un tratamiento hormonal durante dos años.

Sin embargo, desde otra perspectiva, hay movimientos que buscan evitar cualquier señal de patologización como, por ejemplo, el «Stop Tarns Pathologization». Polo y Olivares señalan que los objetivos de este colectivo son[195]:

---

[192]   Una amplia revisión sobre los aspectos jurídicos del transexualismo se puede consultar en: Elósegui M. La transexualidad. Jurisprudencia y argumentación jurídica. Granada: Comares, 1999; y Camps M. Identidad sexual y Derecho. Estudio interdisciplinario del transexualismo. Pamplona: Eunsa, 2007.

[193]   Elósegui M. La transexualidad. Jurisprudencia y argumentación jurídica. Granada: Comares, 1999; 207-281.

[194]   BOE nº 65 de 16 de marzo de 2007, 11251-3.

[195]   Polo C, Olivares D. Consideraciones en torno a la propuesta de despatologización de la transexualidad. Rev Asoc Esp Neuropsiq 2011; 31 (110): 286.

1. Retirada del Trastorno de Identidad de Género de los manuales de diagnóstico.
2. Retirada de la mención de sexo de los documentos oficiales.
3. Abolición de tratamientos de normalización binarias a personas intersexo.
4. Libre acceso a los tratamientos hormonales y a las cirugías de reasignación sin la tutela psiquiátrica.
5. Lucha contra la transfobia.

Si las anteriores premisas son aceptadas y asumidas se tendrá que construir un entorno legal distinto al actual ya que se partiría de presupuestos diferentes a los vigentes. Por ejemplo, si no hay una patología o trastorno, el tratamiento hormonal o quirúrgico se podría considerar como elementos dirigidos a un proceso cosmético y, por ello, sería muy difícil mantener un derecho a que sean sufragados públicamente.

El problema de la legislación es que, en los distintos países, se ha ido otorgando soluciones distintas a los problemas generados por el transexualismo. Camps señala que «los criterios jurídicos utilizados por la legislación y la jurisprudencia para resolver el problema del transexualismo son el biológico, el socio-sicológico y el cultural. La adaptación legal y jurisprudencial de criterios tan dispares para resolver un único problema —determinar la identidad sexual de quien ha cambiado o desea cambiar de sexo— es fruto de una visión determinadas del ser personal»[196]. En otras palabras, cualquiera de las citadas determinaciones son insatisfactorias por adolecer de un cierto grado de reduccionismo.

---

[196] Camps M. Identidad sexual y Derecho. Estudio interdisciplinario del transexualismo. Pamplona: Eunsa, 2007; 497.

5. ALTERNATIVAS TRAS EL DIAGNÓSTICO DE TRANSEXUALISMO

El transexualismo podrá ser considerado una patología o no serlo pero, en cualquiera de los supuestos, los sujetos afectados necesitan de una ayuda profesional de sicólogos y/o cirujanos, y/o endocrinos, etc. Estas atenciones sanitarias conllevan unos gastos que son reclamados a la sanidad pública, en este punto nos encontramos con una evidencia, la derivada de que hay unos procesos sanitarios que deben ser justificados en cuanto a su necesidad, proporcionalidad, equidad, etc. (nos ocuparemos de ello específicamente en otro apartado). Por ello, hay que ser realista y partir del hecho de que se precisan unos requerimientos sanitarios (en este caso no es tan importante dilucidar si es por una patología, trastorno o prevención) que son necesarios[197] para el bien[198] del sujeto que aspira a convertirse en un miembro de otro género y que, por lo tanto, habrá que proporcionar. Estos pueden ser variados, desde una ayuda sicológica o siquiátrica hasta una intervención quirúrgica. Pero, como sucede con cualquier atención sanitaria otorgada a una persona, será necesario estudiar cual es la mejor ayuda que se puede proporcionar. Por ello, hay que partir de que no hay dos supuestos iguales ya que la originalidad de cada sujeto dota a

---

[197] Bustos mantiene que el tratamiento médico a personas transexuales hay que incardinarlo al contexto del artículo 43.1 CE que declara que «se reconoce el derecho a la protección de la salud», no limitada esta a no padecer enfermedad, sino al disfrute de un bienestar general, psíquico mental y social que ayude a un pleno desarrollo mental como mantiene el preámbulo de la Constitución de la Organización Mundial de la Salud, de 1946. Bustos Y. La transexualidad de acuerdo a la Ley 3/2007, de 15 de marzo. Madrid: Dykinson, 2008; 37.

[198] Aquí el *bien del sujeto* podrá tener distintas connotaciones. Frecuentemente se asocia con lo que el individuo (paciente/cliente) asume como bueno para el mismo, atendiendo a un concepto de autonomía desmedido. En este sentido, lo deseado puede identificarse como bueno aunque sea, en sentido estricto, perjudicial para el paciente (Beauchamp TL, Childress JF. Principios de Ética Biomédica. Barcelona: Masson, 1999; 114-7). En cambio, el bien puede ser también contemplado desde una perspectiva ontológica, lo cual llevará a unas consecuencias muy diferentes a las mantenidas con el planteamiento anterior (Ciccone L. Bioética. Madrid: Palabra, 2005; 50-2).

cada caso de una singularidad propia. No habría mayor injusticia que atender a los transexuales con un protocolo estricto y reduccionista, porque su realidad es una de las más ricas de condicionantes que nos podemos encontrar[199]. Además de la gran cantidad de incertidumbres que acompañan a su origen y diagnóstico, hay una influencia del ambiente, de la biología, de la psiquis, de los criterios antropológicos y éticos del afectado, etc. Estas premisas son las que justifican que ante un caso de transexualismo haya que ser muy prudente a la hora de elegir el camino que se va a transitar (tanto para el afectado, el agente sanitario o, incluso, el propio entorno). A continuación se ofrecerá una breve descripción de las posibles alternativas.

Ya se ha indicado que aunque el transexualismo pueda tener una causa biológica va a encontrarse muy afectado, potenciándose o reprimiéndose, por cuestiones ambientales. Esto es algo que nunca hay que olvidar porque un determinado ambiente puede llevar a un sujeto a la necesidad de adoptar otro género o de no hacerlo (incluso puede conducir a un sujeto no transexual a buscar esa opción, hay numerosos testimonios y narrativas en este sentido). De ahí que, independientemente del diagnóstico, sea necesario estudiar las causas que rodean al sujeto. En algunas ocasiones se podrá incidir en alguna cuestión ambiental que posibilite al sujeto aceptar su situación sin necesidad de intervenciones hormonales o quirúrgicas. En la bibliografía hay numerosos ejemplos de ello. Por ejemplo, un padre y hermanos iracundos pueden arrinconar la masculinidad de un hermano más sensible que le lleve a identificarse (en ocasiones, de forma idílica) con el otro sexo; o una madre que es incapaz de aceptar a un hijo le conduce a éste, para alcanzar ese amor maternal que necesita y no logra, a que intente ser una mujer[200]. Se ha señalado que es muy necesario destapar los conflictos emocionales para no realizar un diagnóstico equivocado.

---

[199]   Moreno-Pérez O, Esteva de Antonio I. Guías de práctica clínica para la valoración y tratamiento de la transexualidad. Grupo de Identidad y Diferenciación sexual de la SEEN (GIDSEEN) (anexo 1). Endocrinol Nutr 2012; 1-4. doi: 10.1016/j.endonu. 2012/02/001.

[200]   Fitzgibbons RP. The desire for a sex change: clinical observations and advice. Ethics & Medics 2005; 30 (10): 1-2.

El segundo paso seria recurrir a los tratamientos sicoterapéuticos en un intento de acomodar la realidad física y sensitiva del sujeto. Ya se ha apuntado que hay muchos autores que señalan que este camino no ofrece resultados satisfactorios[201]. No obstante, hay que señalar que otros investigadores no están de acuerdo con ello y consideran que es una vía aceptable y con resultados satisfactorios. En muchas narrativas y artículos cualitativos se muestran ejemplos de la eficacia de este método. Sin embargo, tras la revisión bibliográfica realizada para la elaboración de este trabajo queda la duda de si lo que se muestra, en la mayoría de los artículos, son casos aislados o realmente son representativos. También hay que llamar la atención sobre la cuestión de la falta de sosiego y libertad para la investigación en este campo, ya que cualquier apelación a un cambio sicológico sobre el físico se le suele colgar el marchamo de «transfobo».

Este es un punto importante en el proceso, un mojón que algunos califican como infranqueable. En este sentido, como se ha descrito en varias ocasiones a lo largo del libro, hay autores que señalan que este el es último peldaño en la ayuda a los transexuales y que, en ningún caso, se debería pasar al abordaje del cambio de género. Por ejemplo, Blázquez sostiene que «la transexualidad es un conflicto de orden psíquico, cuya solución se ha de buscar en una terapia educativa adecuada a la naturaleza del problema y no falsificando quirúrgicamente la maquinaria biológica sexual de los pacientes»[202]. Por su parte, López Moratalla mantiene que «el trastorno a nivel de la psique debe ser tratado» y que «acercar el cuerpo artificialmente al sexo deseado no es un tratamiento». La citada autora, teniendo en consideración esta premisa, busca una posible solución y propone que, partiendo del hecho de que la plasticidad cerebral ha permitido que los aprendizajes asociativos y los estímulos trans-craneales del área somato-sensorial primaria modifican el grado de centralidad de la red motora, «sería

---

[201]   Hurtado F, Gómez M, Donat F. Transexualismo y salud mental. Revista de Psicopatología y Psicología Clínica, 2007; 1: 44. Usón es taxativo cuando señala que «actualmente, el único tratamiento posible es el hormonal y quirúrgico». Usón A. Diagnóstico y tratamiento quirúrgico del transexual masculino y femenino. Zaragoza: Real Academia de Medicina, 2008; 26.

[202]   Blázquez N. Bioética Fundamental. Madrid: Biblioteca de Autores Cristianos, 1996; 487.

posible, tal vez, poder modificar de forma duradera la fuerza de la conectividad o el patrón de conectividad intrínseco en las regiones cerebrales pertinente»[203]. Esta posible solución tiene dos limitaciones, la primera que parte de aceptar la teoría biológica basada en la activación de conexiones cerebrales como causante del transexualismo. La segunda, que es una hipótesis de trabajo que todavía está por desarrollar.

Las anteriores consideraciones son muy prudentes y contemplan tanto los posibles éxitos de la terapia sicológica como los distintos problemas que conlleva el proceso de cambio de género (hay que volver a recordar que es un proceso drástico, irreversible y con consecuencias físicas y sicológicas de relevancia derivadas, entre otras cuestiones, de los propios tratamientos farmacológicos). Sin embargo, al mismo tiempo, las anteriores consideraciones no agotan las posibilidades o, dicho de otra forma, no son capaces de satisfacer la mayoría de los casos que se suscitan. Efectivamente, son muchas las personas que se sienten altamente incomodas con su sexo biológico, tanto que no lo pueden soportar, y a las que, al mismo tiempo, la compañía o alternativa sicológica no les sirve de remedio. Ante esa tesitura se ofrece una nueva posibilidad, lo que se podría denominar el tercer peldaño en el proceso de acompañamiento del transexual

El tercer escalón sería el de la hormonación. En alguna ocasión es suficiente con el aporte de algunas hormonas que faciliten al sujeto su adecuación al género elegido. No obstante, en la mayoría de las ocasiones la hormonación está acompañada de cirugía que, sin duda, es la vía mas drástica y problemática y que, a pesar de ello, también ofrece resultados contradictorios. En las próximas páginas nos vamos a centrar en ese proceso de reasignación de género por intervención hormonal y/o quirúrgica y la evaluación de las consecuencias que conllevan.

---

[203]   López Moratalla N, Calleja A. Transexualidad: una alteración cerebral que comienza a conocerse. Cuadernos de Bioética, 2016; XXVII: 90.

6. LA REASIGNACIÓN DE GÉNERO

6.1. Planteamientos previos

El deseo de imitar al sexo opuesto o convertirse en un miembro de otro sexo no es algo nuevo en la historia. De la misma forma, no es ninguna novedad la amputación de partes sanas del cuerpo que son consideradas como un obstáculo para la identificación sexual. Por ejemplo, en nuestra cultura ciertos hombres fueron castrados para preservar la voz de niño-soprano. En otras culturas se castraba para que pudieran servir como guardias de harenes o, como es bien conocido, todavía se realiza la ablación en las mujeres. Tales prácticas que estaban revestidas de cierto grado de normalidad en otras épocas son, actualmente, consideradas como bárbaras[204]. Si, como se ha indicado, la amputación de órganos sexuales cuenta con un amplio recorrido histórico, ha tenido que pasar más tiempo para que el ser humano sea capaz de lograr la reconstrucción de esos órganos sexuales. Efectivamente, se han requerido habilidades quirúrgicas avanzadas para construir una vagina artificial y algo parecido a un pene o un escroto.

Las intervenciones médico-quirúrgicas de los transexuales comenzaron por el interés de algunos centros médico-científicos de dar una solución a las formas de discordancias sexuales (intersexualismo). «El argumento se impuso a continuación al legislador y provocó a la opinión pública y a los estudiosos de psicología y, evidentemente, planteó problemas complejos sobre el plano moral» (…) Como efecto de las disposiciones legales que se fueron promulgando «se abrió la posibilidad jurídica y práctica para intervenciones de tipo médico-quirúrgico, no tanto para la corrección de anomalías físicas que revelaran la copresencia en el físico de elementos de ambos sexos, sino que estuvieran dirigidas a superar el contraste entre el sexo físico (en su normalidad anatómica y fisiológica) y las tendencias psicológicas, como se da precisamente en los llamados transexuales»[205].

---

[204] Fitzgibbons RP, Philip MD, Sutton M, O'Leary D. The Psychopathology of «Sex Reassignment». Surgery Assessing Its Medical, Psychological, and Ethical Appropriateness. The National Catholic Bioethics Center 2009; spring: 98.

[205] Sgreccia E. Manual de Bioética II. Aspectos médico-sociales. Madrid: Biblioteca de autores cristianos, 2014; 184.

La forma de abordar la reasignación de género ha variado a lo largo del tiempo. Se puede hacer alusión a los métodos que comenzaron a afianzarse en los años 60 del pasado siglo, de tipo *conductual*, utilizados por el Hospital Johns Hopkins donde trabajaba el endocrinólogo y sexólogo John Money y el psiquiatra Eugene Meyer. En ese caso se le otorgaba una gran relevancia a que el paciente asumiera el rol del sexo contrario al menos durante un año[206].

Otro criterio es el denominado *teórico* que se orienta sólo a determinados sujetos, los considerados «verdaderos» transexuales. Stoller, uno de los profesionales que seguían el citado criterio, mantenía que «sólo deberían operarse aquellos varones que sean más femeninos, hayan estado expresando feminidad desde una edad temprana, no hayan pasado etapas viviendo como varones aceptados, no hayan disfrutado de su pene y no se hayan considerado varones»[207].

En este apartado también hay que tener en cuenta otro tipo de clasificación, a la que ya se ha hecho alusión en un apartado anterior, es la que diferencia entre transexualismo temprano y tardío[208], cuestionando la intervención quirúrgica de éstos últimos[209].

El término utilizado para el pretendido *cambio de sexo* es el de «cirugía de reasignación sexual». La misma expresión conlleva un error de base ya que aunque se quite o reconstruya un órgano sexual el sujeto es varón o hembra desde el nacimiento, ese mensaje lo lleva inscrito en cada célula de su cuerpo y puede ser determinado a través del estudio de su ADN. Como bien indica Fitzgibbons y col., llamar a los hombres que han tenido cirugía de reasignación de sexo «mujeres» no les hace cambiar su estructura genética[210]. De ahí que quizá

---

[206] Polo C, Olivares D. Consideraciones en torno a la propuesta de despatologización de la transexualidad. Rev Asoc Esp Neuropsiq 2011; 31 (110): 290-1.

[207] Polo C, Olivares D. Consideraciones en torno a la propuesta de despatologización de la transexualidad. Rev Asoc Esp Neuropsiq 2011; 31 (110): 292.

[208] Person E, Ovrsey L. The transsexual syndrome in males. Am J Psychother 1974; 28: 4-20.

[209] Algunos autores «describen la existencia de remisiones espontáneas, por lo que recomiendan extremar la prudencia a la hora de iniciar el tratamiento de reasignación sexual» Cfr. Polo C, Olivares D. Consideraciones en torno a la propuesta de despatologización de la transexualidad. Rev Asoc Esp Neuropsiq 2011; 31 (110): 292.

[210] Fitzgibbons RP, Philip MD, Sutton M, O'Leary D. The Psychopathology of «Sex Reassignment». Surgery Assessing Its Medical, Psychological,and Ethical AppropriatenessThe National Catholic Bioethics Center 2009; spring: 98.

sea más apropiado hacer referencia a reasignación de género que a reasignación de sexo.

Por lo tanto, para resolver lo que se presenta como un desorden que afecta a determinadas personas, la Medicina ofrece el *tratamiento de la transexualidad* como una cura. Sgreccia señala que «cuando esta "pulsión" viene de lejos y ha madurado profundamente, se llega a un estado de "irreversibilidad" que lleva al individuo a la intervención quirúrgica de corrección»[211]. Considero que el término «irreversibilidad» tiene una gran importancia tanto para el tratamiento medico como el ético y legal. Soley-Beltrán señala que, a aquellas personas que no se sienten cómodas dentro de su género, se les puede ayudar a encajar mejor socialmente «tratando a su cuerpo como un artefacto», es decir como un ente maleable que debe alinearse con el género[212]. Como se puede observar, la anterior afirmación conlleva una infravaloración del cuerpo como parte integral de la configuración de la persona[213]. No obstante, hay muchas voces que indican que esa patologización de la situación, que conlleva la transformación del cuerpo, es desfavorable para los afectados al generarles un malestar y sufrimiento añadidos. Como se observará más adelante este punto reviste una gran significación por la dificultad de su solución y por las implicaciones posteriores que se derivan de la opción aceptada. Pero antes de seguir, quiero llamar la atención sobre el hecho de que hay autores

---

[211] Sgreccia E. Manual de Bioética II. Aspectos médico-sociales. Madrid: Biblioteca de autores cristianos, 2014, 186.

[212] Soley-Beltrán P. Transexualidad y transgénero: una perspectiva Bioética. Revista de Bioética y Derecho 2014; 30: 34.

[213] El cuerpo se ha entendido como «la dimensión física, orgánica o material de la persona. Las manos, los pies, el corazón, etc. tienen una medida, un volumen, un perfil, un tamaño» (Burgos J M. Antropología: una guía para la existencia. Madrid: Palabra, 2009; 67). Pero la realidad corporal del ser humano trasciende la dimensión puramente material, física o biológica (Marías J. Persona. Madrid: Alianza, 1997; 135). El cuerpo de la persona es mucho más que un conjunto químico, que una masa física o algo contrapuesto a espíritu. La corporalidad (García Cuadrado J. A. Antropología filosófica. Pamplona: EUNSA, 2010; 139) es el modo en que la persona se hace presente en el mundo y en el tiempo, es decir, su modo de vida es en el cuerpo y a través de él. «La corporalidad no es un accidente que le sucede al ser humano: no es posible pensarlo si no es con su cuerpo» (Spaemann R. Personas. Acerca de la distinción entre «algo» y «alguien». Pamplona: EUNSA, 2000; 53-57). A partir de éste se reconoce al individuo concreto, se le identifica porque se le reconoce a través de su cuerpo.

que identifican las alteraciones del patrón de conectividad neuronal, de las personas transexuales, con la huella de la angustia psicosocial ligada a la discordancia de la representación corporal. Esa manifiesta insatisfacción con su propia apariencia física es la que explicaría «que se sientan mejor con la administración cruzada de hormonas que modifica los caracteres sexuales, o de la cirugía de reasignación de sexo, debido al aumento de la satisfacción del propio cuerpo»[214].

Antes de comenzar el proceso de reasignación de género, el profesional de salud mental tiene que descartar la existencia de alguna patología siquiátrica que pudiera confundirse con la transexualidad: trastorno sicótico, trastorno de personalidad[215], trastorno obsesivo u otro trastorno sexual (en el apartado dedicado al diagnóstico ya se mostró como en los sistemas internacionales de clasificación se contempla como un elemento básico el descarte de cualquier patología siquiátrica). También hay que descartar ciertas *modas* que pueden llevar al sujeto a someterse a procesos que podrían confundirse con disforia, este es el caso de ciertas castraciones voluntarias. Este hecho no es tan esporádico como podría pensarse, incluso se ha asignado el término «eunco aspirante» para aquellas personas que planean una castración voluntaria que, en todo caso, tiene una motivación distinta a la de un transexual[216].

Polo y Olivares hacen alusión a que el proceso previo a la reasignación de género sería similar al que realizan en el tratamiento quirúrgico de la obesidad[217]. No obstante, hay que tener en cuenta que en la transexualidad se está ofreciendo, cada vez más, una mayor flexibili-

---

[214]   López Moratalla N, Calleja A. Transexualidad: una alteración cerebral que comienza a conocerse. Cuadernos de Bioética, 2016; XXVII: 87.

[215]   Un ejemplo sobre una patología que cuando es tratada cambia la situación de género del paciente se puede consultar en: Parkinson J. Gender dysphoria «cured» by status epilepticus. Australas Psychiatry, 2015; 23 (2): 166-8. Sobre esta cuestión también se puede consultar: Moreno-Pérez O, Esteva de Antonio I. Guías de práctica clínica para la valoración y tratamiento de la transexualidad. Grupo de Identidad y Diferenciación sexual de la SEEN (GIDSEEN) (anexo 1). Endocrinol Nutr 2012; 4. doi: 10.1016/j.endonu. 2012/02/001.

[216]   Johson TW, Irwig MS. The hidden World of self-castration and testicular self-injury. Nat Rev Urol, 2014; 11 (5): 297-300.

[217]   Polo C, Olivares D. Consideraciones en torno a la propuesta de despatologización de la transexualidad. Rev Asoc Esp Neuropsiq 2011; 31 (110): 298.

dad[218]. Por ejemplo, en las cinco primeras versiones de los estándares asistenciales de la Asociación Mundial de Profesionales para la Salud Transgénero (en el siguiente capítulo se ofrecerá información sobre estos estándares y sus criterios) se establecía que se debían excluir, de la reasignación de género, las personas que presentaran sicopatologías, abusos de drogas, psicosis, tendencias suicidas, etc. En cambio, la sexta versión (del año 2001) mantiene que el sujeto puede tener acceso al tratamiento aunque tenga los anteriores problemas, siempre y cuando estén bajo control[219].

Otro factor que será necesario observar es si el deseo de cambio de sexo es profundo o viene determinado por cuestiones personales, como puede ser la búsqueda ansiosa de cumplir ciertos estereotipos, o por cuestiones externas como, por ejemplo, la presión ejercida por otros transexuales. Por ello, se suele obligar al paciente que cambie de nombre y durante un año se vista y viva como un miembro de otro género, lo que se ha denominado «ensayo de cambio» o «experiencia de vida real»[220].

6.2. La importancia de la información

Ya se ha señalado que antes de decidir si es conveniente una reasignación de género hay que contemplar ciertos parámetros que ayudaran al profesional a determinar si ese proceso hormonal y/o quirúrgico es adecuado, en sí mismo o por el momento, para el sujeto que lo solicita. Una vez se ha comprobado que la posibilidad de la reasignación es admisible hay que superar otra etapa, la de la información al sujeto. Esta información deberá ser completa, asequible y comprensible ya que las consecuencias del proceso y de la intervención son

---

[218] Esta mayor flexibilidad también está sucediendo en el caso de la obesidad, ambos ejemplos son muestras del proceso de Medicalización que está atravesando nuestra sociedad. Sobre esta cuestión se puede consultar: De Domingo M, López Guzmán J. La estigmatización social de la obesidad. Cuadernos de Bioética, 2014; XXV: 273-84.

[219] Fernández M, Guerra P, García-Vega E. La 7ª versión de los Estándares Asistenciales de la WPATH. Un enfoque diferente que supera el dimorfismo sexual y de género. Rev Asoc Esp Neuropsiq, 2014; 34(122): 328-9.

[220] Blázquez N. Bioética Fundamental. Madrid: Biblioteca de Autores Cristianos, 1996; 485.

drásticas y algunas irreversibles. En primer lugar habrá que explicar que el proceso no provoca un cambio de sexo sino una transformación de algunas de sus manifestaciones sexuales. Posteriormente, será necesario que el sujeto afectado comprenda que la intervención provocará una castración con pérdida de ciertos órganos y funciones[221]. En tercer lugar, es preciso informar sobre las consecuencias físicas y sicológicas del proceso, éstas últimas muy relacionadas con la aceptación personal, social y la adaptación a su nueva situación o rol. Por último, habrá que comunicar al sujeto que el proceso puede requerir de un tratamiento farmacológico continuo o, incluso, de una sucesión de intervenciones quirúrgicas para ir acomodando las características físicas al paso del tiempo.

Por todo lo reflejado en el último párrafo es fácil de entender la importancia que adquiere, en todo el proceso de reasignación de género (principalmente, con la hormonación y cirugía), el consentimiento informado del sujeto afectado. En este sentido, hay que hacer alusión a la Ley de Autonomía del paciente[222] que, en su artículo 10.1, indica que «antes de recabar el consentimiento escrito, el facultativo habrá de proporcionar al paciente la información básica siguiente: a) las consecuencias relevantes o de importancia que la intervención origina con seguridad; b) los riesgos relacionados con las circunstancias personales o profesionales del paciente; c) los riesgos probables en condiciones normales, conforme a la experiencia y al estado de la ciencia o directamente relacionados con el tipo de intervención; d) las contraindicaciones». Bustos mantiene que, en el caso de los transexuales, el requerimiento de «información básica» no es suficiente ya que, por la particularidad del caso, debería existir un mayor rigor y cantidad de información, algo que se ve respaldado por la falta de urgencia, desde el punto de vista de la salud del paciente[223].

---

[221] Laverde E. Transexualismo: un enfoque psiquiátrico. Revista de Psicología 1977-78, 22-23; 51.

[222] Ley 41/2002 de 14 de noviembre. BOE, número 274, de 15 de noviembre de 2002.

[223] La autora añade a lo indicado anteriormente «la no necesidad legal de la cirugía de reasignación sexual (con carácter general), y del tratamiento hormonal (de forma excepcional por razones de salud o de edad) para la concesión de la rectificación registral de la mención del sexo de una persona, *ex* art. 4.1.2. Ley

Figura 2
Consideraciones del proceso informativo previo a una intervención de reasignación de género

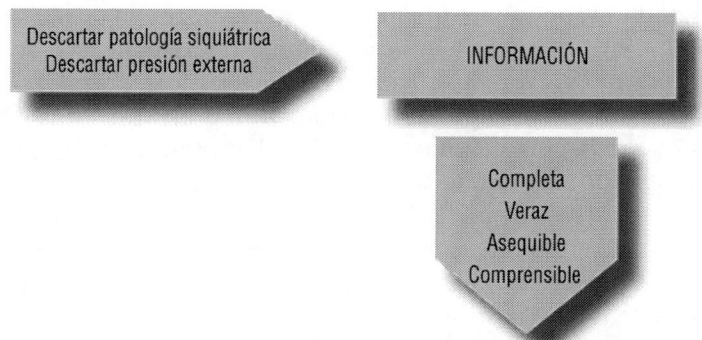

Descartar patología siquiátrica
Descartar presión externa

INFORMACIÓN

Completa
Veraz
Asequible
Comprensible

Debe partir de cuatro ideas que tienen que ser bien transmitidas:
1. El proceso no es un cambio de sexo, se trata de la transformación de algunas de sus características sexuales
2. La intervención provoca una castración con pérdida de ciertos órganos y funciones.
3. El cambio va a tener consecuencias físicas y psicológicas.
4. El proceso puede requerir tratamientos farmacológicos e intervenciones quirúrgicas a lo largo de la vida.

Aquellas personas que se sienten atrapados en un género que no es el suyo son muy sensibles al proceso que sufren y, por ello, son muy vulnerables a cualquier información, presión o consejo. Este hecho lo tienen que tener muy presente los agentes sanitarios pero también la familia, amigos, la sociedad en general o los grupos o colectivos activistas que pueden llegar a revestir su ayuda en intereses que, en ese momento, le son ajenos al que atraviesa el desierto de la decisión sobre su reasignación sexual.

Se podría llegar a indicar que en la reasignación de género no se presentan dos casos iguales ya que no solo hay que considerar al individuo, también a este con el entorno en el que se va a desenvolver y, por otra parte, los tiempos van a determinar mucho la oportunidad

3/2007». Bustos Y. La transexualidad de acuerdo a la Ley 3/2007, de 15 de marzo. Madrid: Dykinson, 2008; 79.

del proceso. En este sentido, hay personas que solicitarán el cambio en un intento de salida a una insatisfacción interior y otros que pueden sentir que el proceso de reasignación de género ya es un *continuum* en su cuerpo (aunque no estén tomando ni siquiera hormonas), llegándose a presentar el caso de varones que manifiestan que menstrúan por la uretra o el ano[224]. Un varón con las características que se acaban de señalar, o con intentos de autocastración, representan situaciones extremas que requieren de una ayuda inmediata (no queriendo mantener con está afirmación que la ayuda deba ser, en todo caso, quirúrgica). En otros casos, el proceso informativo podrá ser más relajado en un intento de comprender bien la situación por todos los agentes implicados, desde el afectado hasta los agentes sanitarios, y eligiendo sosegadamente la vía de actuación. Por ejemplo, hay varones que quieren ser mujeres y como lo habitual es que intenten «adecuar su personalidad a los rasgos entendidos socialmente propios del sexo elegido (…) asumen los roles de género hegemónicos. Por ejemplo, los transexuales valoran la maternidad como algo fundamental para sentirse mujer y así lo expresan»[225]. En ese caso será necesario entablar un diálogo con el afectado para que llegue a entender que ese *ideal* de maternidad no podrá ser satisfecho. Si no se procede de esta manera es muy probable que, posteriormente, el transexual HM se vea frustrado al no sentirse una auténtica mujer.

6.3. *El proceso de reasignación de género*

En el supuesto de que el equipo de salud mental (psiquiatra/sicólogo) haya realizado un diagnóstico firme, el sujeto iniciará la fase de atención endocrinológica. En todo caso, como ya se ha indicado anteriormente, habrá que dispensarle la conveniente información sobre las características del proceso hormonal y/o quirúrgico. Si tras esas premisas, la persona quiere continuar con la intervención será preciso tener en consideración las normas o protocolos establecidos para ello. Algo que no hay que olvidar es que siempre hay que conocer «las

---

[224]   Laverde E. Transexualismo: un enfoque psiquiátrico. Revista de Psicología 1977-78, 22-23; 51.

[225]   Belsué Guillorme K. Sexo, género y transexualidad: de los desafíos teóricos a las debilidades de la legislación española. Acciones e investigaciones sociales, 2011; 29: 16.

expectativas del paciente y el grado de prejuicios y de información previa al tratamiento hormonal»[226].

En muchos países, los transexuales son tratados de acuerdo con las Normas de Atención de la Asociación de Disforia de Género Harry Benjamín Internacional (HBIGDA), una organización profesional en el campo de la transexualidad que, desde el año 2007, se conoce como Asociación Mundial de Profesionales para la Salud Transgénero (WPATH). Esta Asociación recomienda la terapia triádica: sicológica[227], hormonal y quirúrgica[228], «marcando criterios específicos de elegibilidad y adicionales de disposición de obligatorio cumplimiento tanto para la terapia hormonal como quirúrgica»[229].

El abordaje de la reasignación de género es un proceso que se lleva a cabo por un equipo formado, «como mínimo, por los siguientes miembros: un psiquiatra, un psicólogo, un sexólogo, un endocrinólogo, un ginecólogo, un urólogo, un cirujano plástico y un asistente social»[230]. Además, no hay que olvidar el necesario «soporte jurídico»[231].

6.3.1. Terapia sicológica

El proceso deberá comenzar con terapia psicológica, la HBIGDA establece que un mínimo de tres meses antes de la reasignación. En

[226] Puig M, Halperin I. Papel del endocrinólogo en el diagnóstico y tratamiento de la transexualidad. Cuadernos de Medicina Psicosomática y Psiquiatría de Enlace, 2006; 78: 26.

[227] En esta triada terapéutica se incluye en la primera fase el diagnóstico y la experiencia de vida real. Moreno-Pérez O, Esteva de Antonio I. Guías de práctica clínica para la valoración y tratamiento de la transexualidad. Grupo de Identidad y Diferenciación sexual de la SEEN (GIDSEEN) (anexo 1). Endocrinol Nutr 2012; 4. doi: 10.1016/j.endonu. 2012/02/001.

[228] Fernández. M, García-Vega E. Surgimiento, evolución y dificultades de diagnóstico de transexualismo. Rev Asoc Esp Neuropsiq, 2012; 32(113): 104.

[229] Fernández M, García-Vega E. Variables clínicas en el trastorno de identidad de género. Psicothema 2012; 24 (4): 556.

[230] Usón A. Diagnóstico y tratamiento quirúrgico del transexual masculino y femenino. Zaragoza: Real Academia de Medicina, 2008; 29.

[231] Puig M, Halperin I. Papel del endocrinólogo en el diagnóstico y tratamiento de la transexualidad. Cuadernos de Medicina Psicosomática y Psiquiatría de Enlace, 2006; 78: 24.

este periodo habrá que contemplar la denominada «experiencia de vida real» que pone a prueba el nivel de decisión del sujeto a cambiar su estado[232]. Es decir, hay que evaluar si el hombre o mujer que quiere cambiar de sexo ya se está comportando, o está introduciendo esos cambios de comportamiento en su vida ordinaria. Se estima que esta experiencia de la vida real hay que contemplarla como requisito previo a la cirugía[233]. Cada vez hay más presión para ir facilitando el camino, aun a costa de que exista menos seguridad para el sujeto que quiere la reasignación de género. Así, por ejemplo, la campaña «Stop Trans Pathologization» considera que las terapias inherentes al test de la vida real puede plantear «confusiones teóricas y metodológicas entre rol e identidad de género, y lleva a usar escalas de masculinidad y femineidad basadas en estereotipos tradicionales de género»[234]. De esta forma en la 7ª versión de HBIGDA, de 2011, se elimina la obligatoriedad de la psicoterapia y de la experiencia de la vida real como requerimientos indispensables para la terapia hormonal[235].

La terapia sicológica no se realiza únicamente antes de la reasignación de género, también es requerida después de llevarla a cabo. Cohen-Kettenis y Gooren señalan que la reasignación de género no es una panacea y que aunque «"la reasignación de sexo alivia sustancialmente el sufrimiento de los transexuales" (…). La psicoterapia puede ser necesaria para ayudar a los transexuales en la adaptación a la nueva situación o en el tratamiento de cuestiones que no pueden ser tratados antes del tratamiento»[236].

---

[232] A la *experiencia de vida real* también se le denomina en algunos textos como *ensayo de cambio*.

[233] Fernández M, García-Vega E. Variables clínicas en el trastorno de identidad de género. Psicothema 2012; 24 (4): 559.

[234] Polo C, Olivares D. Consideraciones en torno a la propuesta de despatologización de la transexualidad. Rev Asoc Esp Neuropsiq 2011; 31 (110): 286.

[235] The World Professional Association for Transgender Health. Standards of care for the health of transsexual, transgender, and gender nonconforming people. 7ª versión. WPATH, 2011. http://www.wpath.org/uploaded_files/140/files/Standards%20of%20Care,%20V7%20Full%20Book.pdf. (Accedido el 12 de enero de 2016).

[236] Cohen-Kettenis PT, Gooren LJ. Transsexualism: a review of etiology, diagnosis and treatment. J Psychosom Res. 1999; 46: 315-33.

6.3.2. Tratamiento hormonal

Después de la terapia sicológica, si se sigue con la idea de la reasignación de género, se iniciará el tratamiento hormonal. En este paso comparten responsabilidad el experto en salud mental y el endocrino[237]. La misión del endocrinólogo «cosiste en evaluar somáticamente la situación del paciente para detectar patologías asociadas que puedan condicionar el tratamiento hormonal, explicar al sujeto y prescribir la pauta de hormonación y sus efectos a lo largo del tiempo»[238]. Al transexual se le facilitará un tratamiento hormonal que tendrá unas consecuencias fisiológicas y emocionales en ellos. No es nada nuevo que cualquier tratamiento hormonal provoca en el usuario/a unos riesgos materiales en su organismo (efectos adversos o efectos secundarios) y unas posibles modificaciones de su estado anímico[239]. De ahí la importancia de controlar bien todo el proceso. Este deberá comenzar con una prueba de valoración endocrinológica «anamnesis, antecedentes personales y familiares, hábitos higienicodietéticos y tóxicos, datos antropométricos y presión arterial, perfil hidrocarbonado y lipídico, pruebas de función renal y hepática, pruebas de coagulación, perfil hormonal, técnicas de imagen (ecografía hepática, tomografía axial computarizada de silla turca, etc.), cariotipo, VIH

---

[237]   Bustos Y. La transexualidad de acuerdo a la Ley 3/2007, de 15 de marzo. Madrid: Dykinson, 2008; 51.

[238]   Puig M, Halperin I. Papel del endocrinólogo en el diagnóstico y tratamiento de la transexualidad. Cuadernos de Medicina Psicosomática y Psiquiatría de Enlace, 2006; 78: 24. Sobre la valoración endocrinológica se puede consultar: Moreno-Pérez O, Esteva de Antonio I. Guías de práctica clínica para la valoración y tratamiento de la transexualidad. Grupo de Identidad y Diferenciación sexual de la SEEN (GIDSEEN) (anexo 1). Endocrinol Nutr 2012; 4. doi: 10.1016/j.endonu. 2012/02/001.

[239]   Goren y col. estudiaron el potencial que las hormonas del sexo opuesto tienen en el sujeto que las toma. Partieron de la idea de que la dotación cromosómica de las personas permanece sin cambios y que estas variaciones en sus genomas causan las diferencias de sexo en las funciones de las células. En su estudio revisaron las diferencias sexuales en las funciones cerebrales, patología cardiovascular, mecanismos inmunes, etc. comprobando que las hormonas tienen su influencia pero que no hay que desdeñar los impactos genéticos. Gooren LJ, Kreukels B, Lapauw B, Giltay EJ. (Phato) physiology of cross-sex hormone administration to transexual people: the potencial impact of male-female genetic differences. Andrologia, 2015; 47 (1): 5-19.

y marcador de hepatitis»[240]. En este ámbito se hace indispensable la utilización de guías de práctica clínica que favorezcan la implantación de protocolos de actuación coordinados para la atención sanitaria integral de las personas transexuales. Un trabajo importante y riguroso sobre esta cuestión es el elaborado por Moreno-Pérez y Esteva, sus tablas sobre la valoración inicial y monitorización de la terapia hormonal en adultos con discordancia entre la identidad de género y el sexo biológico, de los efectos favorable y desfavorables de la terapia hormonal cruzada, y de farmacología clínica y monitorización del tratamiento hormonal cruzado son una gran ayuda en el proceso de tratamiento hormonal[241].

La supresión o reducción de los caracteres sexuales secundarios en los transexuales HM, se realiza mediante la administración de estrógenos y antiandrógenos. «Se produce una redistribución del tejido adiposo corporal, una disminución de la fuerza muscular y del vello corporal. Disminuyen y se debilitan las erecciones del pene, el volumen y la calidad seminal, atrofia testicular y prostática de variable intensidad según la dosis de estrógenos administrada. Concomitantemente se observa un aumento variable del tamaño de las mamas»[242]. Po otra parte, en el transexual MH se administran antiestrógenos y testosterona. Con ello se provoca «una disminución de la menstruación, un cambio tonal de la voz, aumento del tono muscular e incremento del vello corporal y facial, así como un aumento de la libido. Se produce finalmente una cierta atrofia mamaria, ovárica y uterina»[243].

Siguiendo a Orozco se puede afirmar que en los transexuales HM hay un incremento de estrógenos que lleva una disminución de la fatiga y ansiedad y «un aumento de los estados de relajación, alegría,

---

[240]   Puig M, Halperin I. Papel del endocrinólogo en el diagnóstico y tratamiento de la transexualidad. Cuadernos de Medicina Psicosomática y Psiquiatría de Enlace, 2006; 78: 26.

[241]   Moreno-Pérez O, Esteva de Antonio I. Guías de práctica clínica para la valoración y tratamiento de la transexualidad. Grupo de Identidad y Diferenciación sexual de la SEEN (GIDSEEN) (anexo 1). Endocrinol Nutr 2012; 6-9. doi: 10.1016/j.endonu. 2012/02/001.

[242]   Usón A. Diagnóstico y tratamiento quirúrgico del transexual masculino y femenino. Zaragoza: Real Academia de Medicina, 2008; 30-1.

[243]   Usón A. Diagnóstico y tratamiento quirúrgico del transexual masculino y femenino. Zaragoza: Real Academia de Medicina, 2008; 29: 31.

sociabilidad, amistad y tristeza. También aumenta la irritabilidad, el enojo y aparecen fluctuaciones en el carácter». Por su parte, Michel y col. Destacan como posibles efectos secundarios la depresión, el descenso en la libido, tromboembolismo, cáncer de mama y modificación de niveles hormonales (por ejemplo, incremento de bilirrubina)[244].

En el caso de los transexuales MH, el tratamiento con testosterona ocasiona un aumento en la motivación, deseo sexual, enojo y agresividad. Por otra parte se genera «una disminución tanto de la expresión emocional como de las fluctuaciones emocionales»[245]. En este caso es de considerar la posibilidad de aparición de un síndrome sicótico, hepatotoxicidad[246], acné facial o cambio en los niveles de ciertas hormonas (por ejemplo, disminución del HDL colesterol)[247]. Sin embargo, hay trabajos que evidencian que no son tantos los riesgos. Por ejemplo, Becerra, Lucio y Llopis[248] publicaron su experiencia con 236 casos de tratamiento hormonal de reasignación de género. De todos ellos, sólo se rechazaron 4 para el tratamiento hormonal por distintos trastornos orgánicos. En los transexuales MH observaron un 65% de hiperprolactinemía y un 8% de alteraciones de la enzima hepática. En los transexuales HM, las alteraciones de enzimas hepáticas fueron del 24% y la hiperprolactinemía del 13%.

Cuando el diagnostico es seguro y se observa la presencia de contraindicaciones a la terapia hormonal se suele aconsejar el paso directo a la cirugía[249]. Como es lógico, este proceso no es armónico y

---

[244]   Michel A, Mormont C, Legros JJ. A psycho-endocrinological overview of trans-
         sexualism. European Journal of Endocrynology, 2001; 145: 370-1. Tangpricha
         V, Ducharme SH, Barber TW, Chipkin SR. Endocrinologic treatment of gender
         identity disorders. Endocrinology Practice, 2003; 9 (1): 12-21.
[245]   Orozco G, Ostrosky-Solis F, Salin RJ, Borja KC, Castillo G. Bases Biológicas de
         la orientación sexual: un estudio de las emociones en transexuales. Revista Neu-
         ripsicología, Neuropsiquiatría y Neurociencias 2009; 9 (1): 17.
[246]   Tangpricha V, Ducharme SH, Barber TW, Chipkin SR. Endocrinologic treatment
         of gender identity disorders. Endocrinology Practice, 2003; 9 (1): 12-21.
[247]   Michel A, Mormont C, Legros JJ. A psycho-endocrinological overview of trans-
         sexualism. European Journal of Endocrynology, 2001; 145: 370-1.
[248]   Becerra A, Lucio MJ, Llopis JL. Tratamiento hormonal de reasignación de sexo
         en España: nuestra experiencia en 236 casos. Revista Internacional de Androlo-
         gía, 2007; 5 (3): 212-7.
[249]   Moreno-Pérez O, Esteva de Antonio I. Guías de práctica clínica para la valo-
         ración y tratamiento de la transexualidad. Grupo de Identidad y Diferencia-

genera una mayor complicación en el sujeto a la hora de asimilarse al nuevo género que quiere adoptar.

En este apartado cabe hacer alusión a una cuestión particular que, siendo una desviación de la práctica ordinaria, reviste una cierta importancia por las consecuencias que puede tener sobre el sujeto. Me refiero a la autohormonación, Fernández y García-Vega observaron, en un estudio sobre 19 Transexuales HM y 14 transexuales MH que los primeros recurren más a la autohormonación, se autohormonan más y durante más años[250]. El problema de ello es que lo hacen sin un diagnóstico previo, sin supervisión médica, utilizando las hormonas que otros le han recomendado según su experiencia y obteniendo estos medicamentos de forma ilícita (internet, de la calle, por engaño a los farmacéuticos o por negligencia de estos últimos). La utilización de hormonas inadecuadas, administradas «por ensayo o error o dependiendo de su asequibilidad en el mercado»[251] puede tener efectos nocivos sobre la salud de los usuarios[252]. Puig y Halperin señalan que la autohormonación es un riesgo derivado de no dar una solución o atención adecuada a los transexuales[253]. En otras palabras, hay autores como los citados anteriormente que mantienen que la permisibilidad y la financiación del proceso reducirían el riesgo de la autohormonación.

---

ción sexual de la SEEN (GIDSEEN) (anexo 1). Endocrinol Nutr 2012; 11. doi: 10.1016/j.endonu. 2012/02/001.

[250]   Fernández M, García-Vega E. Variables clínicas en el trastorno de identidad de género. Psicothema 2012; 24 (4): 558.

[251]   Fernández M, García-Vega E. Variables clínicas en el trastorno de identidad de género. Psicothema 2012; 24 (4): 558.

[252]   Becerra y col. llegan a la conclusión que «la alteración del riesgo cardiovascular, la presencia de hiperprolactinemia y las alteraciones de la función hepática deben tenerse en cuenta en los pacientes transexuales sometidos a tratamiento hormonal». Becerra A, De Luis DA, Piédrola G. Morbilidad en pacientes transexuales con autotratamiento hormonal para cambio de sexo. Medicina Clínica, 1999; 113: 484-7.

[253]   Puig M, Halperin I. Papel del endocrinólogo en el diagnóstico y tratamiento de la transexualidad. Cuadernos de Medicina Psicosomática y Psiquiatría de Enlace, 2006; 78: 25. Precisamente, el riesgo a la automedicación es uno de los argumentos que se utilizan para sustentar la Ley de identidad y expresión de género e igualdad social y no discriminación de la Comunidad de Madrid (Boletín Oficial de la Asamblea de Madrid, número 51, de 21 de marzo de 2016).

Tabla VI
Contraindicaciones del tratamiento hormonal en transexuales. Según los datos aportados por
Michel y col[254] y Puig y col[255]

	Trans HM	Trans MH
Contraindicación absoluta	Hipertensión diastólica severa Insuficiencia renal crónica Cardiopatía isquémica activa Disfunción hepática grave Dislipemia Tromboflebitis o enfermedad trom- boembólica Enfermedad cerebrovascular Diabetes mellitus inestable	Hipertensión arterial grave Insuficiencia renal crónica Cardiopatía isquémica inestable Hepatopatía Dislipemía severa
Contraindicación relativa	Tabaquismo Antecedentes familiares de cáncer de mama Hiperprolactinemia Obesidad marcada Insuficiencia venosa Migraña Cardiopatía isquémica	Tabaquismo Diabetes manifiesta Trigliceridos altos Colesterol alto Obesidad marcada Poligrobulia Migraña Dislipemia Hipertensión arterial

Belsué, haciendo referencia al periodo de hormonación que establecen algunas legislaciones para poder acceder a la reasignación de
género (tres meses), mantiene que administrar hormonas con los efectos secundarios que tienen estos productos… es «vulnerar el derecho
a la integridad física» (…) «Todas las personas transexuales con las
que he tenido oportunidad de hablar me han comentado las alteraciones que les producía la hormonación (problemas de alergias, de
hígado, etc.)»[256]. Sobre lo que indica Belsué se puede apuntar que la

---

254   Michel A, Mormont C, Legros JJ. A psycho-endocrinological overview of trans-
       sexualism. European Journal of Endocrynology, 2001; 145: 371.

255   Puig M, Halperin I. Papel del endocrinólogo en el diagnóstico y tratamiento de la
       transexualidad. Cuadernos de Medicina Psicosomática y Psiquiatría de Enlace,
       2006; 78: 26-7.

256   Belsué Guillorme K. Sexo, género y transexualidad: de los desafíos teóricos a las
       debilidades de la legislación española. Acciones e Investigaciones Sociales 2011;
       29: 23-4.

cuestión de fondo no es el tener que utilizar hormonas antes o después ya que, en cualquier caso, es necesario su empleo. Por lo tanto, los efectos derivados de su utilización no se pueden obviar en un proceso de reasignación de género[257].

Otra cuestión a considerar es que la hormonación que reciben los transexuales los convierte en perfectos «conejillos de indias», de investigadores y compañías farmacéuticas, para determinar qué funciones metabólicas se determinan por el medio predominante de esteroides sexuales[258]. Efectivamente, los transexuales son personas sanas a las que se les facilita hormonas y se puede comprobar cuales son los efectos producidos por ellas en un cuerpo sin patología endocrina.

---

[257]   No obstante, también es cierto que hay modificaciones que pueden aportar un cierto valor al sujeto. Por ejemplo, un estudio sobre transexuales sugiere que «el tratamiento hormonal modifica algunas funciones cognitivas. En concreto, el tratamiento andrógenico parece mejorar la capacidad visuoespacial y el tratamiento estrogénico más antiandrogénico las capacidades verbales».
Torres A, Gómez-Gil E, Vidal A, Puig O, Boget T, Salamero M. Diferencias de género en las funciones cognitivas e influencia de las hormonas sexuales. Actas Esp Psiquiatr, 2006; 34 (6): 413.

[258]   Gooren LJ, Giltay EJ. Man and women, so different, so similar: observations from cross-sex hormone treatment of transsexual subjects. Andrologia, 2014; 46 (5): 570-5.

Figura 3
Proceso de terapia sicológica, hormonal, quirúrgica y complementaria seguido
en la reasignación de género

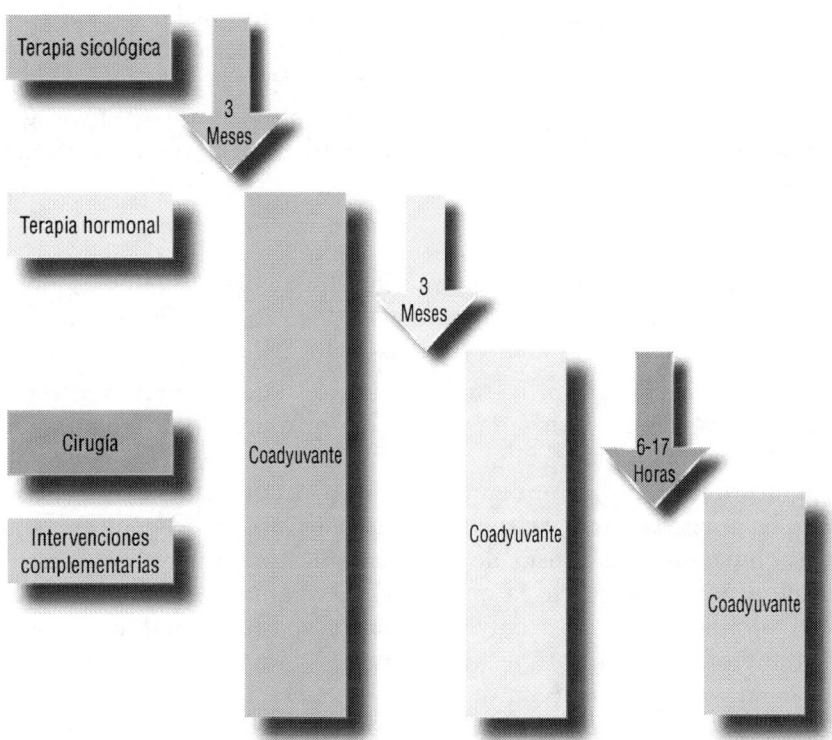

Volvemos a recordar la importancia de la información en el transcurso de la reasignación de género. En el proceso de hormonación siempre hay que comenzar con una información individualizada sobre los posibles beneficios y riesgos. En esas charlas hay que eliminar las falsas expectativas, suscitadas en muchos transexuales, sobre el hecho de que con el inicio del tratamiento hormonal se suscitarán cambios rápidos y completos, ya que los efectos inducidos por las hormonas son limitados y aparecen gradualmente[259]. Por ello, el en-

---

[259]   Bustos Y. La transexualidad de acuerdo a la Ley 3/2007, de 15 de marzo. Madrid: Dykinson, 2008; 54.

docrinólogo debe explicar al paciente la progresividad de los cambios que se van a ir produciendo en meses y las consecuencias de tipo irreversible que el tratamiento hormonal comporta. En este sentido, no hay que olvidar que los cambios dependerán mucho del sujeto y de su variabilidad individual. Así, los cambios esperables (distribución de grasa, crecimiento mamario, etc.) en pocas ocasiones llegan a satisfacer al paciente que tiene unas determinadas expectativas, generalmente muy ambiciosas, que no se adecuan a sus condiciones personales[260].

6.3.3. Cirugía

En el proceso de reasignación se género se realizan diferentes intervenciones quirúrgicas[261]. La duración de los procesos quirúrgicos de los transexuales HM es menor que las de los MH.

Cirugía MH: Las primera intervención suele ser la mastectomía[262]. Después se extirpan los ovarios (oforectomía), trompas de Falopio (salpingetomía), el útero (histerectomía) y parte de la vagina (vaginectomia). Posteriormente, viene el procedimiento más costoso ya que puede llegar a las ocho horas. Se trata de la genitoplastia masculinizante que consta de una uretoplastia (se alarga la uretra hasta el pubis utilizando la mucosa de la vagina y los labios menores), faloplastia (se reconstruye el pene con tejido del abdomen, ingle o el antebrazo) y escrotoplastia (reconstrucción del escroto con los labios mayores). Pasado un tiempo se lleva el conducto urinario a la punta del pene para que el paciente pueda orinar con una micción masculina[263].

---

[260]   Puig M, Halperin I. Papel del endocrinólogo en el diagnóstico y tratamiento de la transexualidad. Cuadernos de Medicina Psicosomática y Psiquiatría de Enlace, 2006; 78: 27.

[261]   Una descripción y muestra gráfica del proceso se puede encontrar en: Usón A. Diagnóstico y tratamiento quirúrgico del transexual masculino y femenino. Zaragoza: Real Academia de Medicina, 2008; 29: 31-48.

[262]   Se considera que lo mas adecuado es llevarla a cabo si el endocrino y el sicoterapeuta documentan que el desarrollo mamario, después de 18 meses de tratamiento hormonal, es insuficiente para el bienestar en el rol del nuevo género. Bustos Y. La transexualidad de acuerdo a la Ley 3/2007, de 15 de marzo. Madrid: Dykinson, 2008; 59.

[263]   Es «en la década de los cuarenta cuando Harold Gillies fabricó, a partir de dos colgajos de pared abdominal, un pene con uretra. En su interior implantó

Cirugía HM: Se suele comenzar con la mamoplastia de aumento en la que se implantan prótesis mamarias. Posteriormente, se realiza la orquidectomía que es extirpación del pene y la construcción de la vagina con la piel peneana invertida. Luego se construye el clítoris con parte del glande y se abre un nuevo orificio uretral para que quede debajo del clítoris. Por último, se da forma a la vulva y a los labios mayores con piel del escroto[264]. Una vez concluida la operación «seguirá un proceso de dilatación que durará para toda la vida si se desea que la nueva vagina no se cierre»[265].

---

un cartílago a fin de conseguir un estado semirrecto». Pera-Bajo F, Marote-González RM, Baladía-Olmedo C, García-Andrade C. Aspectos actuales de la transexualidad y su implicación médico-legal. Medicina Clínica, 2006; 126 (19): 751.

[264] Fernández M, García-Vega E. Variables clínicas en el trastorno de identidad de género. Psicothema 2012; 24 (4): 558. «Marshall afirma que el primer intento documentado de crear una vagina artificial tuvo lugar en 1761, para otros autores la fecha se encontraría a principios del siglo XX». Pera-Bajo F, Marote-González RM, Baladía-Olmedo C, García-Andrade C. Aspectos actuales de la transexualidad y su implicación médico-legal. Medicina Clínica, 2006; 126 (19): 751.

[265] Vartabedian J. El cuerpo como espejo de las construcciones de género. Una aproximación a la transexualidad femenina. Quaderns-e de l'Institut Català d'Antropologia, 2007; 10.
http://www.raco.cat/index.php/QuadernseICA/article/viewArticle/109038/0 (Accedido el 3 de marzo de 2016).

Figura 3
Proceso seguido en la cirugía de reasignación de sexo
La descripción se ha realizado tomando como modelo la genial obra de Antonio López titulada
«Hombre y Mujer»

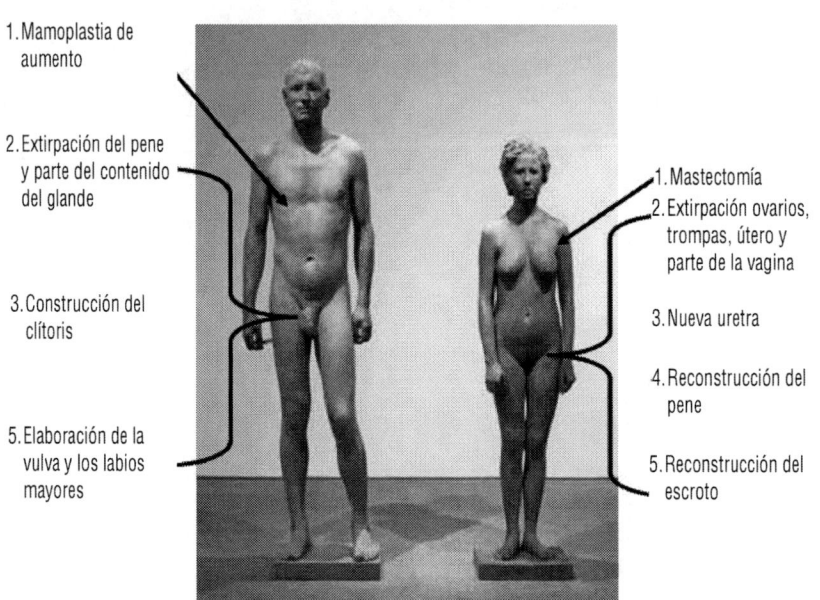

1. Mamoplastia de aumento

2. Extirpación del pene y parte del contenido del glande

3. Construcción del clítoris

5. Elaboración de la vulva y los labios mayores

1. Mastectomía

2. Extirpación ovarios, trompas, útero y parte de la vagina

3. Nueva uretra

4. Reconstrucción del pene

5. Reconstrucción del escroto

6.3.4. Intervenciones complementarias

6.3.4.1. Foniatría

El transexual también tiene que ser atendido por un foniatra para que le facilite el proceso vocal que acomode su voz a su nuevo estado. Por ejemplo, aquellos que nacieron hombres y quieren ser mujeres tienen la voz muy gruesa y la deben acomodar a su nuevo estado. «La laringe de los hombres es más baja, ancha, con pliegues vocales más largos y gruesos; además su nivel de testosterona le da la posibilidad de que la voz descienda por lo menos una o dos octavas después del proceso de la adolescencia»... «"la laringe de las mujeres es más alta, más angosta, sus pliegues vocales son más delgados y más cortos". Antes de intervenir el foniatra el endocrino suministra terapia hormonal sustitutoria y el otorrino provoca cambios anatómicos en la laringe, como el acortamiento de los pliegues vocales»[266].

6.3.4.2. Cirugía estética complementaria

Hay intervenciones sencillas como, por ejemplo, la electrodepilación o el láser para reducir el vello sexual[267] y otras mas complicadas como la cirugía facial. En este marco no hay que olvidar que la propia cirugía plástica (en general, no solo la aplicada al transexual) requiere de una reflexión que evalúe lo que ésta afecta al ser humano y de ahí su licitud. Por ejemplo, la cirugía plástica puede responder a una patología, a una anomalía funcional, a un problema del sujeto o de la propia sociedad, o a una obsesión terapéutica. Además, habrá que considerar la proporcionalidad de cada caso[268]. Estas cuestiones generales de la práctica quirúrgica también deberán ser tenidas en consideración al aplicarlas a un transexual e, independientemente de la proporcionalidad, su admisibilidad dependerá del diagnóstico utilizado.

Esta cirugía estética que se podría denominar *secundaria* lleva consigo unos costes que genera también una serie de problemas cuando no se dispone de suficientes medios económicos. Por ejemplo, se hace alusión al riesgo de «la inyección de silicona industrial líquida en las partes que se desean engrosar (pechos, caderas, nalgas, muslos y rostro). La elección de este tipo de silicona (que a diferencia de la quirúrgica, no está esterilizada y es impura) está guiada por los bajos costes de su obtención y colocación»[269].

---

[266]   Lizarralde G. Transexualismo y Bioética. Ciencia & Salud, 2012; 1(1): 61.

[267]   La electrodepilación es lenta y adecuada para áreas limitadas, el láser es más rápido pero más caro. Moreno-Pérez O, Esteva de Antonio I. Guías de práctica clínica para la valoración y tratamiento de la transexualidad. Grupo de Identidad y Diferenciación sexual de la SEEN (GIDSEEN) (anexo 1). Endocrinol Nutr 2012; 11. doi: 10.1016/j.endonu. 2012/02/001.

[268]   Grassi M. Questioni bioetiche nella chirurgia plastica per la modificazioni dei connotati somatici sindromici. Studia Bioethica, 2015; 8 (3): 61.

[269]   Vartabedian J. El cuerpo como espejo de las construcciones de género. Una aproximación a la transexualidad femenina. Quaderns-e de l'Institut Català d'Antropologia, 2007; 9. http://www.raco.cat/index.php/QuadernseICA/article/viewArticle/109038/0 (Accedido el 3 de marzo de 2016).

Sobre esta cuestión se puede señalar que los transexuales HM son más propensos a realizar cirugía facial, según muchos autores esto es porque «los estereotipos de belleza son más rígidos para las mujeres que para los hombres»[270]. Esta situación habrá que clarificarla con los pacientes, será preciso que entiendan que «ciertos rasgos físicos, fundamentalmente relativos a la estructura esquelética, son inmodificables con el tratamiento hormonal»[271].

En los transexuales MH se puede intervenir para colocar una prótesis de pene semirrígido o hidráulico. También suelen ser frecuentes operaciones estéticas de adecuación de los colgajos locales.

6.4. Situación legal de la reasignación de género

Cuando una persona decide someterse a un proceso de reasignación de género requiere que su nueva situación no se quede solo en la apariencia física que percibe el propio sujeto o su entorno, también necesita que haya constancia oficial de ello con la idea de una normalización total de su nuevo estado. De ahí la importancia, por ejemplo, del cambio del nombre y de los datos del documento nacional de identidad[272]. «El reconocimiento de los otros nos configura y no cabe duda de que el nombre es un elemento fundamental a la hora de ser aceptado como varón o como mujer»[273]. Estas cuestiones han sido tratadas en el apartado 4.3.3. y ahora, con esas premisas, vamos a introducir aquellas cuestiones legales referidas directamente al proceso de cambio de género. No obstante, va a ser una descripción somera ya que no es el objeto de este trabajo.

El sexo es una categoría puramente biológica y cromosómica y, como se ha indicado anteriormente, no es suficiente un cambio de

---

[270] Fernández M, García-Vega E. Variables clínicas en el trastorno de identidad de género. Psicothema 2012; 24 (4): 558.

[271] Puig M, Halperin I. Papel del endocrinólogo en el diagnóstico y tratamiento de la transexualidad. Cuadernos de Medicina Psicosomática y Psiquiatría de Enlace, 2006; 78: 28.

[272] Soley-Beltrán P. Transexualidad y transgénero: una perspectiva Bioética. Revista de Bioética y Derecho 2014; 30: 29.

[273] Belsué Guillorme K. Sexo, género y transexualidad: de los desafíos teóricos a las debilidades de la legislación española. Acciones e investigaciones sociales, 2011; 29: 16.

apariencia para que exista un cambio de sexo biológico ya que cada célula del individuo va a indicar una cosa distinta a su apariencia externa. Por lo tanto, nos encontramos en dos planos: para el derecho habrá un cambio de sexo pero para la biología no, tampoco para la biología del propio ser.

En la legislación la transexualidad se plasmó, en un principio, en las cláusulas generales referidas al principio de igualdad, más tarde desde la perspectiva de los derechos humanos. En este sentido hay que hacer mención a los principios de Yogyakjarta de Naciones Unidas; al informe Hammarberg de la Unión Europea; o a disposiciones nacionales o sectoriales dentro de un determinado país.

Por ejemplo, en España se despenalizaron las operaciones de cirugía transexual por Ley Orgánica 8/1983, de 25 de junio[274]. Con fecha posterior, existen cuatro sentencias del Tribunal Supremo[275] favorables a la posibilidad de rectificar el sexo. En el año 2007, la Ley reguladora de la rectificación registral de la mención relativa al sexo de las personas[276], establece que no es necesario para la concesión de la rectificación registral de la mención del sexo que el tratamiento médico haya incluido cirugía de reasignación de género. También excluye la necesidad de tratamiento hormonal durante dos años si el sujeto tiene problemas de salud o edad.

A las anteriores disposiciones hay que sumar las leyes promulgadas por las distintas Comunidades autónomas como, por ejemplo, la de la Comunidad Foral de Navarra de 12/2009 de no discriminación por motivos de identidad de género y de reconocimiento los derechos de las personas transexuales[277], y la del País Vasco de 2012[278]. A ellas se sumaron, en 2014, las leyes gallega, andaluza, catalana y canaria.

---

[274]   De Reforma Urgente y Parcial del Código Penal. BOE, de 27 de junio de 1983.

[275]   De 2 de julio de 1987 (sobre el cambio de sexo en el Registro Civil, en contestación a la solicitud realizada por una varón español que se sometió a una reasignación de género en Londres y después pidió la rectificación de sexo en el registro civil), 15 de julio de 1988, 3 de marzo de 1989 y 19 de abril de 1991.

[276]   Ley 3/2007, de 15 de marzo, reguladora de la rectificación registral de la mención relativa al sexo de las personas. BOE, n° 65 de 16 de marzo de 2007.

[277]   Boletín Oficial de Navarra de 30 de noviembre de 2009.

[278]   Ley 14/2012, de 28 de junio, de no discriminación por motivos de identidad de género y de reconocimiento de los derechos de las personas transexuales. BOE, 19 de junio de 2012.

En 2015, la Ley extremeña. Por último, en 2016, el Pleno de la Asamblea de Madrid aprobó la Ley de identidad y expresión de género e igualdad social y no discriminación de la Comunidad de Madrid[279].

Cuando se hace referencia en la legislación a ciertos requisitos para el cambio de género se descubre todo un sinfín de cuestiones difíciles de delimitar. Por ejemplo, si hay que establecer el diagnóstico de disforia de género, siguiendo a Belsué, cabe preguntarse «¿Que se considera características físicas acordes con el género deseado? ¿Qué cantidad de vello, que tamaño de pechos o que anchura de cadera se debe tener para ser mujer? Es muy posible que muchas mujeres biológicas no cumplan con los cánones que se les acaban exigiendo a las personas transexuales»[280].

Las consecuencias de tipo legal son más amplias que la determinación de si se permite o no la intervención quirúrgica, y algunas de ellas también tienen consecuencias en la salud integral del sujeto. Por ejemplo, se puede plantear si es válido el matrimonio celebrado antes de la rectificación o el celebrado después[281]. En este sentido, la Ley española de 2007, establece que para el cambio registral se requiere informe médico y dos años de hormonación (con excepciones).

6.5. *Reflexión ética*

6.5.1. Introducción

Fitzgibbons, Sutton, y O'Leary[282] se plantean si es ético realizar una cirugía que tiene como objetivo ofrecer una imagen masculina a una mujer o femenina a un hombre. Es decir, la cuestión inicial consistiría en evaluar si es lícito realizar una intervención médico-quirúrgica

---

[279]   Boletín Oficial de la Asamblea de Madrid, número 51, 21 de marzo de 2016.

[280]   Belsué Guillorme K. Sexo, género y transexualidad: de los desafíos teóricos a las debilidades de la legislación española. Acciones e investigaciones sociales, 2011; 29: 23.

[281]   En Italia, la ley del 14 de abril de 1982, n.º 164, titulada *Normas en materia de rectificación de la atribución de sexo* prevé, en su artículo 4, la anulación del matrimonio precedente, celebrado civilmente o por la Iglesia, y abre la posibilidad de celebrar un nuevo matrimonio con otra persona, también de otro sexo.

[282]   Fitzgibbons RP, Philip MD, Sutton M, O'Leary D. The Psychopathology of «Sex Reassignment». Surgery Assessing Its Medical, Psychological, and Ethical Appropriateness. The National Catholic Bioethics Center 2009; spring: 97.

para rectificar el género. A esta pregunta se puede intentar contestar desde diversas perspectivas. Sin embargo, para elaborar una respuesta ecuánime haría falta considerar muchos factores. En el ejercicio de ponderación habría que contemplar el bien del sujeto, su deseo, el bien o el interés de la sociedad, etc. También se podrá observar que el acercamiento a la cuestión será muy distinto según sea el criterio ético adoptado como patrón.

Sgreccia señala que «la importancia ética del origen diverso estaría en el hecho de que un eventual origen orgánico de las anomalías justificaría en su mayor parte, según algunos expertos, la demanda de una intervención de rectificación mediante una terapia médico-quirúrgica, mientras que un origen psicosocial traería consigo la consiguiente legitimidad y exclusiva necesidad de una terapia psicológica, suponiendo que será eficaz»[283]. En este mismo sentido, Blázquez señala que se pueden establecer dos posturas claramente diferenciadas. Por una parte, la de «aquellos que anteponen la primacía de los datos biológicos objetivos como paradigma ético referencial». Por otra parte, la de aquellos «que piensan que la identidad psicológica o sexo psicológico debe prevalecer sobre el sexo cromosomático o genético. Los primeros condenan sin paliativos las técnicas de cambio de sexo descritas. Los segundos las toleran siempre y cuando no se trate de satisfacer un deseo morboso y sea una opción extrema para situaciones presuntamente irreversibles»[284]. A este respecto hay que recordar que el cerebro es plástico toda la vida y que, por lo tanto, la acción directa de las hormonas sexuales no es determinante.

Para el abordaje ético es indispensable conocer con seguridad la etiología del transexualismo y la eficacia o ineficacia de cada una de las alternativas. A lo largo del trabajo se ha dejado constancia sobre las dudas que se suscitan sobre estas cuestiones y sobre la necesidad de seguir investigando sobre ello. Por este motivo, en este apartado dedicado a la ética de la reasignación de género no se pretende ofrecer una conclusión, se limita a intentar mostrar las distintas líneas argumentales que, sobre esta cuestión, se ofrecen en la bibliografía para

---

[283] Sgreccia E. Manual de Bioética II. Aspectos médico-sociales. Madrid: Biblioteca de autores cristianos, 2014; 188.

[284] Blázquez N. Bioética Fundamental. Madrid: Biblioteca de Autores Cristianos, 1996; 486.

que el transexual, el profesional sanitario o el estudioso sobre el tema tenga elementos para su particular reflexión. Vuelvo a repetir que el no ser mas ambicioso, en este apartado, es debido a la gran cantidad de dudas que todavía se suscitan sobre las causas que sustentan el transexualismo y sobre la eficacia de cada una de las alternativas. Por ello se estima que, en este momento, cualquier conclusión taxativa pueda pecar de imprudencia.

En los siguientes epígrafes se intentará mostrar los aspectos que se considera necesario valorar en la reflexión ética sobre las intervenciones de cambio de género. A las cuestiones de tipo general como la irreversibilidad del proceso, las posibles alternativas, o la cantidad de afectados, se añadirá una breve descripción de la posición de distintas corrientes de pensamiento sobre los cambios de género y, por último, se abordarán cuatro cuestiones que se presentan como elementos vitales para la reflexión ética: lo que le supone a la persona su cambio de género; lo que representa para el médico que realiza la intervención; el problema que ocasiona la financiación pública del tratamiento farmacológico y la intervención quirúrgica; y la influencia del entorno y los medios de comunicación en la decisión y admisión del cambio de género.

6.5.1.1. Irreversibilidad del proceso

En la reflexión ética hay que considerar las alternativas a la reasignación de género y la posible irreversibilidad del transexual. En este sentido, Bompiani considera que es un proceso irreversible que no responde al tratamiento hormonal ni a la psicoterapia profunda, en cuanto que las estructuras hipotalámicas ya se han establecido en su funcionamiento trastornado y no son susceptibles de recuperarse[285]. Por el contrario, Sgreccia piensa que no está demostrada esa pretendida irreversibilidad y señala que «en el caso de que se pudiera esperar una terapia psicoanalítica destinada a recomponer la armonía entre sexo psíquico y sexo anatómico, no se justificaría de ninguna manera una intervención quirúrgica de cambio de sexo anatómico para adaptarlo al psíquico»[286]. De ahí la importancia de contar con trabajos

---

[285] Bompiani A. Le norme in materia di rettificazione dell'attribuzione di sesso ed il problema del transessualismo.Medicina e Morale 1982; 22: 238-81.

[286] Sgreccia E. Manual de Bioética II. Aspectos médico-sociales. Madrid: Biblioteca de autores cristianos, 2014; 190.

verdaderamente representativos que aborden con rigor la cuestión de la irreversibilidad del proceso.

6.5.1.2. La persona que cambia de sexo

La transexualidad conlleva un gran sufrimiento, esto queda bien reflejado en uno de los criterios del DSM-IV: «la alteración provoca malestar clínicamente significativo o deterioro social, laboral o de otras áreas importantes de la actividad del individuo». Esto quiere decir que el sujeto se encuentra mal consigo mismo, tiene un cuerpo con el que no se identifica y, en ocasiones, odia profundamente. Además, sufre por el rechazo del entorno, encuentra que su aceptación no es la adecuada y que los parámetros sociales no le dejan realizarse. Aspectos como la marginalidad, la vulnerabilidad[287], la reducción de las posibilidades de acceder a un trabajo son cuestiones a considerar. En este punto, la gran incógnita a resolver es si la reasignación de género es capaz de eliminar o, al menos, aminorar, ese malestar y, por otra parte, si hay otra alternativa que pueda ser más adecuada para paliar esa inquietud.

Aquellos sujetos que requieren una reasignación de género tienen que someterse a una constante medicalización. Por una parte, la quirúrgica de modificación o extirpación de sus órganos sexuales y, por otra, la farmacológica ya que van a requerir de una ayuda hormonal para limitar y contrarrestar su proceso hormonal que es el que le corresponde por nacimiento. El problema, que no hay que perder de vista, es que la cirugía no puede cambiar el ADN o neutralizar el efecto de las hormonas prenatales en el cerebro, sólo puede crear la apariencia del otro sexo. Incluso, hay que ser realistas y tener presente que las personas que se han sometido a estos procedimientos podrán realizar actos que simulan el acto sexual entre un hombre y mujer, pero esos actos no son reproductivos, ya que los procedimientos quirúrgicos no

---

[287] En una investigación, publicada en 2007, se demuestra como la mitad de la muestra de transexuales estudiados habían sufrido agresiones verbales (53,8% de los HM y 46,2% de MH). En cambio, la tasa de agresiones físicas fue mayor para los transexuales HM (46,2%) que para los MH (7,7%). En cuanto a las agresiones sexuales, dos HM las habían sufrido frente a ninguna MH (la muestra era de 26, 13 de cada sexo). Hurtado F, Gómez M, Donat F. Transexualismo y salud mental. Revista de Psicopatología y Psicología Clínica, 2007; 1: 47.

pueden crear la fertilidad. En este sentido hay que señalar que, desde una perspectiva médica, la cirugía de reasignación de género es una forma radical de esterilización[288].

En conclusión, hay dos cuestiones a considerar. La primera, que es fisiológicamente imposible cambiar el sexo de una persona, ya que el sexo de cada individuo está codificada en los genes XX si es mujer, y XY si es hombre. La cirugía sólo puede crear la apariencia del otro sexo. George Burou, un médico que ha operado a más de setecientos hombres estadounidenses, explicó el fenómeno en los siguientes términos: «yo no cambio hombres en mujeres. Transformo genitales masculinos en los genitales que tienen un aspecto femenino. Todo el resto está en la mente del paciente»[289]. Sin embargo, el problema es que los que se someten a las técnicas de cambio de género creen que con ello van a resolver sus problemas. Es cierto que la cirugía podrá «satisfacer un deseo de fantasía pero no pueden recrear a una persona como miembro de pleno funcionamiento del otro sexo, capaz de vivir con normalidad como cualquier otra persona del otro sexo» (...) «las fantasías podrán calmar la ansiedad temporalmente, pero no podrán curar las heridas de trauma infantil»[290].

La segunda cuestión a tener en cuenta es que la cirugía de cambio de sexo mutila un cuerpo humano sano, lo cual se traduce en dolor y sufrimiento significativo, riesgos reales a los pacientes, y, por último, puede encaminar a no abordar los problemas psicológicos reales del sujeto.

Por todo lo que se acaba de señalar, el sentido común lleva a plantear que «la intervención quirúrgica no tiene por qué ser el objetivo de toda persona transexual. Como mucho, la cirugía de reasignación

---

[288] Fitzgibbons RP, Philip MD, Sutton M, O'Leary D. The Psychopathology of «Sex Reassignment». Surgery Assessing Its Medical, Psychological,and Ethical AppropriatenessThe National Catholic Bioethics Center 2009; spring: 99.

[289] Raymond J. *The Transsexual Empire: The Making of the She-Male. Cfr.* Fitzgibbons RP, Philip MD, Sutton M, O'Leary D. The Psychopathology of «Sex Reassignment». Surgery Assessing Its Medical, Psychological,and Ethical AppropriatenessThe National Catholic Bioethics Center 2009; spring: 118.

[290] Fitzgibbons RP, Philip MD, Sutton M, O'Leary D. The Psychopathology of «Sex Reassignment». Surgery Assessing Its Medical, Psychological, and Ethical Appropriateness. The National Catholic Bioethics Center 2009; spring: 119.

de sexo debe presentarse como una opción más dentro de los posibles desarrollos de la identidad de género»[291].

Por último, es conveniente abordar una cuestión que siempre está en el trasfondo del cambio de género, me refiero al de la sexualidad. Hay que comenzar desechando el reduccionismo que identifica al transexual con una persona que orienta toda su vida hacia el sexo, quizá esta visión está provocada por el hecho de que el cine o los espectáculos musicales tienen querencia por mostrar ese estereotipo debido al morbo que genera o, por desgracia, porque puede ser fuente de hilaridad. Pero esto no es así, el transexual no es una persona centrada en el sexo o que sufre todo un proceso hormonal y quirúrgico sólo por la búsqueda de un mayor placer sexual[292].

Una vez aclarado lo anterior hay que señalar que, desde ciertos sectores, se mantiene que los transexuales que han sufrido una reasignación de género no sienten deseo sexual alguno porque no pueden tener satisfacción con unos genitales que no le corresponden[293], y esto les generaría una gran depresión ya que ha sido el objeto de su cambio. Sin embargo, desde otros sectores se indica que esa visión es muy reductiva ya que hay otras formas de compensar esa deficiencia, así se puede obtener placer por relaciones distintas a las tradicionales. Sobre esta cuestión es importante destacar que ciertos trabajos han puesto de manifiesto que los transexuales tienen una respuesta sexo-atípica de los circuitos hipotalámicos, posiblemente como consecuencia de una variación de organización cerebral de las áreas que procesan la excitación sexual[294]. Las características hipotalámicas de las personas

---

[291] Fernández M, García-Vega E. Variables clínicas en el trastorno de identidad de género. Psicothema 2012; 24 (4): 559.

[292] Por eso llama la atención como una ley tan a favor de la integración de los transexuales como la Ley de identidad y expresión de género e igualdad social y no discriminación de la Comunidad de Madrid dedique el artículo 18 a las campañas de prevención de enfermedades de transmisión sexual en los colectivos transexuales. Cuando se lee el citado artículo puede plantearse cual es la razón por la que a este colectiva se le deba tratar de forma diferente en el caso del VIH. Cabe preguntarse si se trata de una discriminación.

[293] Soley-Beltrán P. Transexualidad y transgénero: una perspectiva Bioética. Revista de Bioética y Derecho 2014; 30: 27.

[294] López Moratalla N. La identidad sexual: personas transexuales y con trastornos del desarrollo gonadal. Cuadernos de Bioética 2012; XXIII: 362-3.

transexuales están a mitad de camino entre los valores masculinos y femeninos[295]. Con este telón de fondo, Hernández y col[296]. llegan a plantear las siguientes cuestiones: «¿Qué necesidad hay de que una persona se someta a intervenciones farmacológicas y a intervenciones quirúrgicas que en la mayoría de los casos acabarán de manera irreversible con la posibilidad de placer sexual? ¿Por qué no se puede existir y comportarse, expresando la forma de sentirnos personas sexuadas/les como nos complazca mejor?».

Tabla VII
Ideas correctas e incorrectas sobre los transexuales
y las intervenciones de cambio de género

✔	✖
La cirugía de cambio de género provoca esterilidad	A través de la cirugía y las hormonas se puede cambiar el sexo
La reconstrucción de los genitales suele generar insatisfacción	La cirugía de cambio de género es la única opción para un transexual
La transexualidad conlleva un gran sufrimiento	Los transexuales orientan su vida al sexo

Para terminar este apartado quiero señalar una cuestión indiscutible, no se puede ignorar la dificultad que entraña el transexualismo y, por ello, no se debe abandonar a estas personas con sus problemas, o facilitarles una toma de decisiones que banalice «una dimensión fundamental y básica de lo que es la persona humana, introduciéndoles en un ámbito de nuevas y, con frecuencia, graves complicaciones»[297].

---

[295]   López Moratalla N. La identidad sexual: personas transexuales y con trastornos del desarrollo gonadal. Cuadernos de Bioética 2012; XXIII: 365.

[296]   Hernández M, Rodríguez G, García-Valdecasas J. Género y sexualidad: consideraciones contemporáneas a partir de una reflexión en torno a la transexualidad y los estados intersexuales. Rev Asoc Esp Neuropsiq 2010; XXX (105): 86.

[297]   Fuentes JA. Desviaciones de la sexualidad. Parafilias y transexualismo en las causas de nulidad matrimonial canónica. *Ius Canonicum* 2013; 53: 678.

6.5.1.3. Satisfacción de los afectados tras la reasignación

Independientemente de la irreversibilidad del proceso de cambio de género, hay una cuestión que ya se puede constatar: la repercusión que esa transformación tiene para los sujetos que se han sometido a ella. Los resultados no parecen tan satisfactorios como, frecuentemente, se han transmitido. Así, por ejemplo, el psiquiatra y psicoanalista Jon Meyer, de la Universidad Johns Hopkins, realizó un seguimiento con los adultos que recibieron las operaciones de cambio de sexo en el Hospital Hopkins con el fin de ver lo mucho que la cirugía les había ayudado. Meyer encontró que la mayoría de los pacientes localizados algunos años después de la cirugía estaban contentos con lo que habían hecho y que sólo unos pocos estaban arrepentidos. Pero, no obstante, en todos los demás aspectos, se registraron pocos cambios en el estado psicológico antes y después de acceder al cambio de género. Seguían teniendo los mismos problemas con las relaciones sociales, el trabajo y las emociones como antes[298]. La anterior tesis también se ha avalado con otros estudios como, por ejemplo, el realizado por Dhejne y colaboradores en Suecia y que se abordará posteriormente[299].

Con los datos facilitados por Meyer, el director de siquiatría del Johns Hopkins, McHugh, llegó a la conclusión de que su hospital estaba cooperando con una enfermedad mental y que, por ello, como siquiatra debía concentrarse en tratar de arreglar sus mentes y no sus genitales[300]. Y, por lo tanto, McHugh manifestó su criterio de que los psiquiatras debían trabajar para desalentar a aquellos adultos que buscaran la reasignación de género quirúrgica. Cuando el Hospital John Hopkins anunció que iba a dejar de hacer estos procedimientos en adultos con disforia sexual, muchos otros hospitales siguieron su

---

[298] McHugh P. Why we stopped doing sex change operations. http://www.firstthings.com/article/2004/11/surgical-sex (Accedido el 24 de septiembre de 2015).

[299] Dhejne C, LichtensteinP, Boman M, Johansson AL, Långström N, Landén M. Long-Term Follow-Up of Transsexual Persons Undergoing Sex Reassignment Surgery: Cohort Study in Sweden. PLos One, 22 febrero de 2011. http://dx.doi.org/10.1371/journal.pone.0016885 (Accedido el 13 de abril de 2016).

[300] McHugh P. Why we stopped doing sex change operations. http://www.firstthings.com/article/2004/11/surgical-sex (Accedido el 24 de septiembre de 2015).

.ejemplo. Dejemos que McHugh nos exprese con sus palabras lo que piensa sobre esta cuestión: «Tailandia cuenta con varios centros que hacen la cirugía "sin preguntas" para cualquier persona con el dinero suficiente para pagar por ello y los medios para viajar a Tailandia. Estoy decepcionado, pero no sorprendido por esto, dado que algunos cirujanos y centros médicos pueden ser persuadidos para llevar a cabo casi cualquier tipo de cirugía cuando son presionados por los pacientes con desviaciones sexuales, especialmente si los pacientes encuentran a un psiquiatra que responde por ellos. El ejemplo más sorprendente es el de un cirujano en Inglaterra que está dispuesto a amputar las piernas de los pacientes que dicen encontrar excitación sexual en contemplar y exhibir muñones de las piernas amputadas. En cualquier caso, nosotros en Hopkins sostenemos que la psiquiatría oficial tiene buena evidencia para argumentar en contra de este tipo de tratamiento y que se debe comenzar a cerrar la práctica en todas partes»[301].

En un estudio, realizado en Suecia por Dhejne y colaboradores, se observó que las personas transexuales, después de reasignación de sexo, tienen mucho mayor riesgo de mortalidad, comportamiento suicida y morbilidad psiquiátrica que la población general[302]. Según los investigadores, sus hallazgos sugieren que la reasignación del sexo, a pesar de aliviar la disforia de género, puede no ser suficiente como tratamiento de la transexualidad, y debe inspirar a la mejora de la atención psiquiátrica y somática después de reasignación de género para este grupo de pacientes[303]. En cuanto a la mortalidad, en el citado estudio se indica que la supervivencia de las personas transexuales comienza a divergir de la de los controles después de 10 años de seguimiento. La mortalidad por causas específicas de suicidio fue mucho

---

[301] McHugh P. Why we stopped doing sex change operations. http://www.firstthings.com/article/2004/11/surgical-sex (Accedido el 24 de septiembre de 2015).

[302] Los resultados se obtuvieron realizando un seguimiento a personas con reasignación de género, en comparación con los controles de la misma edad y del mismo sexo de nacimiento.

[303] Dhejne C, LichtensteinP, Boman M, Johansson AL, Långström N, Landén M. Long-Term Follow-Up of Transsexual Persons Undergoing Sex Reassignment Surgery: Cohort Study in Sweden. PLos One, 22 febrero de 2011. http://dx.doi.org/10.1371/journal.pone.0016885 (Accedido el 13 de abril de 2016).

mayor en personas de género reasignado, en comparación con los controles emparejados[304]. También se determino que «la mortalidad por enfermedades cardiovasculares se aumentó moderadamente entre los transexuales, mientras que el aumento del riesgo de tumores malignos numéricamente estaba en el límite estadísticamente significativa». Los tumores malignos fueron cáncer de pulmón (N = 3), cáncer de lengua (N = 1), cáncer faríngeo (N = 1), el cáncer de páncreas (N = 1), cáncer de hígado (N = 1), y de origen desconocido (N = 1).

En cambio, en otro seguimiento a 43 sujetos, durante dos años después de la intervención de reasignación de género completa, no se llegó a observar graves efectos adversos, aunque sí diversos grados de insatisfacción sexual en cinco casos[305]. Por su parte, Moreno-Pérez y Esteva señalan que el tratamiento hormonal, seguido del proceso quirúrgico de reasignación de género, con soporte psicológico adecuado, conlleva una «tasa de éxito definido como satisfacción personal tras el proceso superior al 90% y unas tasas de arrepentimiento muy bajas, del 0,5%-3%»[306].

No obstante, hay un hecho que pone en evidencia que no todos los procesos de reasignación son satisfactorios, me refiero a la considerable proporción de sujetos que solicitan volver a su género anterior[307]. Son ejemplos muy notorios ya que regresar a un estado an-

---

[304]　En un trabajo del Colegio Americano de Pediatras se destaca que las cifras de suicidios apuntadas en el trabajo de Dhejne tienen una especial relevancia por ser un estudio desarrollado en Suecia, un país en los tiene un mayor respaldo el colectivo LGBT, por lo que es más difícil asociar la cifra de suicidios a problemas de falta de acogida o de discriminación por parte del entorno. American College of Pediatricians. Gender ideology harms children. 21 de marzo de 2016. http://www.acpeds.org/the-college-speaks/position-statements/gender-ideology-harms-children (Accedido el 11 de abril de 2016).

[305]　Becerra A, Lucio MJ, Llopis JL. Tratamiento hormonal de reasignación de sexo en España: nuestra experiencia en 236 casos. Revista Internacional de Andrología, 2007; 5 (3): 212-7.

[306]　Moreno-Pérez O, Esteva de Antonio I. Guías de práctica clínica para la valoración y tratamiento de la transexualidad. Grupo de Identidad y Diferenciación sexual de la SEEN (GIDSEEN) (anexo 1). Endocrinol Nutr 2012; 3. doi: 10.1016/j.endonu. 2012/02/001.

[307]　Con solo entrar en Google se pueden encontrar numerosos ejemplos de personas que vuelven a su género anterior, sería interesante contar con datos fiables sobre su proporción real y acerca de aquellos que están insatisfechos con el cambio de

terior después de un proceso tan traumático solo puede ser fruto de tres cuestiones: que la persona no estuviera bien diagnosticada, que la información facilitada fuera insuficiente, o que la reasignación de género no sea la solución al problema inicial[308]. En este marco hay que tener en consideración algunos factores que pueden predecir ese mal pronóstico y el arrepentimiento: «la pérdida de apoyo familiar y social, la inestabilidad personal, los trastornos de la personalidad, la presencia de trastornos psicóticos y la aparición de eventos traumáticos como las complicaciones quirúrgicas, rupturas emocionales y pérdidas de trabajo»[309].

Algunos de los transexuales que regresan al género inicial se convierten en verdaderos activistas de la causa «antireasignación de género». Este es el caso de Walt Heyer que después de convertirse en Laura descubrió que vivir como una mujer no le daba la paz y decidió volver a ser Walt[310]. Ahora se dedica activamente a aportar su testimonio y paliar lo que considera una deficiencia del lobby LGTB: la promoción de las intervenciones de reasignación de género en detrimento de que las personas transgénero reciban la ayuda que necesitan, una ayuda independiente de la intervención o, al menos, que no se quede circunscrita a ella. Otros casos con notoriedad pública fueron los de

---

género. Por ejemplo, se puede consultar: Brown M. Sex change regret. Townhall, 21 de junio de 2014. http://townhall.com/columnists/michaelbrown/2014/06/21/sex-change-regret-n1853404 (Accedido el 16 de mayo de 2016).

[308] Un caso llamativo es el de un productor de noticias de televisión, Don Ennis, que fue sometido a tres cambios de género. Pasar por ese trance hace reflexionar sobre si en realidad sufría una patología mental que se enmascaraba con el transexualismo, o si había sido deficiente el seguimiento médico e informativo que se le había proporcionado. También se ha señalado que puede ser un ejemplo que pone de manifiesto el grado de insatisfacción que genera la reasignación de género. Weisman A. ABC News Editor Don "Dawn" Ennis Comes Out As Transgender. Bussines Insider, 8 de mayo de 2013. http://www.businessinsider.com/dawn-ennis-abc-news-producer-comes-out-as-transgender-2013-5 (Accedido el 6 de junio de 2016).

[309] Moreno-Pérez O, Esteva de Antonio I. Guías de práctica clínica para la valoración y tratamiento de la transexualidad. Grupo de Identidad y Diferenciación sexual de la SEEN (GIDSEEN) (anexo 1). Endocrinol Nutr 2012; 3. doi: 10.1016/j.endonu. 2012/02/001.

[310] Walt vivió 8 años como Laura. Heyer W. I was a transgender woman. Public Discourse, 1 de abril de 2015. http:www.thepublicdiscourse.com/2015/04/14688 (Accedido el 27 de enero de 2016).

Brad Cooper y Mike Penner. Brad, que más tarde se transformó en Ria, tuvo el honor de convertirse en el sujeto mas joven que se sometió a una reasignación de género en Gran Bretaña. Su cambio no fue satisfactorio y quiso volver a ser Brad después de dos intentos de suicidio[311]. Por su parte, el columnista de deportes Mike Penner se convirtió en Christine Daniels para, más tarde, volver a ser Mike y suicidarse a los 52 años[312].

Figura 4
Walt Heyer se transformó en Laura durante 8 años
Después de reconocer el error, se volvió a convertir en Walt[313]

---

311 Macaskill G. «*I was a boy.. then a girl.. now I want to be a boy again*: Agony of teen who is Britain's youngest sex-swap patient». Mirror, 28 de octubre de 2012. http://www.mirror.co.uk/news/uk-news/britains-youngest-sex-swap-patient-wants-1403321 (Accedido el 6 de junio de 2016).

312 Thursby K. Mike Penner dies at 52; Los Angeles Times sportswriter. Los Angeles Times, 29 de noviembre de 2009. http://articles.latimes.com/2009/nov/29/local/la-me-mike-penner29-2009nov29 (Accedido el 6 de junio de 2016).

313 Imagen obtenida en: http://gold-silver.us/forum/showthread.php?84325-Sexual-orientation-discrimination-is-sex-discrimination-EEOC-rules/page2 (Accedido el 27 de enero de 2016).

6.5.1.4. Población afectada

Otro elemento que, en el debate ético, sería conveniente tener en consideración es el de la estimación de la proporción de transexuales que desean acceder a la reasignación de género (aunque solo sea porque si hay que financiar cambios de género no es lo mismo ocuparse de cientos o miles de personas). En este ámbito hay bastantes discrepancias y los datos que se ofrecen están lastrados por problemas metodológicos. A continuación se ofrecerán algunos ejemplos que puedan servir para hacerse una idea de la proporción de transexuales en relación con la población general y su progresión en el tiempo. No obstante, esos datos también evidencian la idea de que hay que estudiar esta cuestión con criterios más rigurosos.

Por ejemplo, un trabajo del Williams Institute, del año 2011, estimaba que en los Estados Unidos de América había unos 700.000 adultos transgénero, lo que vendría a ser el 0,3% de la población norteamericana (ese mismo estudio cifra en un 3,5% la población gay, lesbiana y bisexual)[314]. Sin embargo, otros trabajos dan cifras muy superiores que llegan a multiplicar esa cifra de transgénero por 10.

Un trabajo publicado en 2007 que media la incidencia de transexuales en Bélgica ofrece una estimación 1:12.900 HM y 1:33.800 MH, en este caso llama la atención que se ofrezcan diferencias significativas sobre la proporción de transexuales que existen en las distintas regiones belgas[315]. Extrapolando datos holandeses a los ofrecidos por el Instituto Nacional de Estadística (20 de diciembre de 2002) se estimó, en una publicación de 2003, que en España habría 2.024 transexuales (1.438 HM y 586 MV), aunque en ese momento las asociaciones transexuales cifraban ese número en una franja que iba de las 5.000 a las 8.000 personas[316]. Puig y col. ofrecen, en 2006, una horquilla que oscila entre 1:100.000 a 1:24.000 para transexuales

---

[314] Gates GJ. How many people are lesbian, gay, bisexual, and transgender? http://williamsinstitute.law.ucla.edu/wp-content/uploads/Gates-How-Many-People-LGBT-Apr-2011.pdf (Accedido el 29 de septiembre de 2015).

[315] De Cuypere G, Van Hemelrijck M, Michel A, Carael B, Heylens G *et al*. Prevalence and demography of transsexualism in Belgium. Eur Psychiatry, 2007; 22 (3): 137-141.

[316] Cfr. Bustos Y. La transexualidad de acuerdo a la Ley 3/2007, de 15 de marzo. Madrid: Dykinson, 2008; 26.

HM y 1:400.000 a 1: 100.000 para transexuales MH[317]. Datos recogidos en Cataluña durante el periodo 1999-2004 ofrecieron una incidencia media anual de 0,72/100.000 habitantes/año, siendo de 1:21.031 HM y 1:48.096 MH[318]. En cambio, un trabajo publicado en 2006 con datos de Andalucía, estima que la proporción es de 1/9.685 transexuales HM y 1/15.456 transexuales MH[319].

Una reciente revisión sistemática y metanálisis de prevalencia, publicada en el año 2015, concluye afirmando que la prevalencia del transexualismo es de 4.6 en 100.000 individuos, siendo 6.8 en 100.000 HM y 2.6 en 10.000 MH[320]. Los autores del citado estudio constatan que hay un incremento en la prevalencia de individuos atendidos en servicios clínicos recibiendo hormonas o sufriendo intervenciones quirúrgicas. Pero, al mismo tiempo, señalan que los datos ofrecidos tienen sus limitaciones debido a la heterogeneidad de los estudios utilizados motivada por la distinta metodología usada, el sistema de diagnostico aceptado, las diferencias estructurales y sociales de los países, el año de realización del estudio, etc.

6.5.1.5. El médico que realiza el cambio de sexo

En el escenario del proceso de la reasignación de género no hay que olvidar una cuestión importante, la cirugía de cambio de género es una técnica médica y la realiza un profesional sanitario. De ahí, que

---

[317] Puig M, Halperin I. Papel del endocrinólogo en el diagnóstico y tratamiento de la transexualidad. Cuadernos de Medicina Psicosomática y Psiquiatría de Enlace, 2006; 78: 25.

[318] Gómez y col. recogen en su trabajo la incidencia y razón de sexos de la transexualidad en diferentes países, observándose como las referencias encontradas en la bibliografía son más discretas que la s que se suelen ofrecer en los medios de divulgación o por la asociaciones afines a estos colectivos: Gómez Gil E, Trilla A, Godás T, Halperin H, Puig M *et al.* Estimación de la prevalencia, incidencia y razón de sexos del transexualismo en Cataluña según la demanda asistencial. Actas Esp Psiquiatr, 2006; 34 (5): 296-9.

[319] Cfr. Moreno-Pérez O, Esteva de Antonio I. Guías de práctica clínica para la valoración y tratamiento de la transexualidad. Grupo de Identidad y Diferenciación sexual de la SEEN (GIDSEEN) (anexo 1). Endocrinol Nutr 2012; 3. doi: 10.1016/j.endonu. 2012/02/001.

[320] Arcelus J, Bouman WP, Van Den Noortgate, Claes L, Witcomb G. Systematic review and meta-analysis of prevalence Studies in transsexualism. European Psychiatry, 2015; 30: 807-15.

también habrá que valorar si esa cirugía es acorde con los fines de la Medicina y la buena praxis médica. En definitiva, habrá que contemplar si el cambio de sexo es una práctica médica adecuada. Tener clara esta cuestión es muy importante, ya que ciertos profesionales sanitarios han mostrado su desacuerdo con la técnica al considerar que no se encontraban cómodos ante una práctica que no estimaban «profesional». Según Fitzgibbons y col., la cirugía de reasignación de género viola los principios básicos de la Medicina, ya que no trata a un enfermo sino que mutila un cuerpo sano. Blázquez subraya la anterior afirmación al mantener que las intervenciones quirúrgicas que se producen en la reasignación de género son «una farsa de psiquiatras y cirujanos»[321]. Además, esa intervención quirúrgica, en un cuerpo sano conlleva una serie de riesgos que es preciso tener en consideración. Pero, la ética basada en la omnipotencia de la ciencia que estima que el progreso no debe ser acotado por ninguna referencia ética, «ha creado un clima en el que la gente no ve mal que los cirujanos destruyan órganos reproductivos sanos y estructuren órganos artificiales para aquellos que lo deseen»[322].

También hay que tener presente que, desde ciertos sectores, se ejerce una presión desmedida sobre los médicos para que participen en los procesos de reasignación de género aunque éstos consideren, basándose en sus criterios profesionales, que no deberían realizarlos. En este punto es importante desligar los criterios personales de los técnicos. Por ejemplo, en The Transexual Phenomenon de Benjamín se elogia a los médicos que realizan las intervenciones de reasignación de género calificándolos de «valientes y verdaderos» y, en cambio, a los que no los realizan se les asocia a expresiones no tan positivas como «conservadores» o que «no velan por el interés del paciente». Actualmente, es frecuente encontrar referencias en las que, el rechazo del agente sanitario a una intervención quirúrgica de reasignación de género, se presenta como si fuera una decisión religiosa basada en la bondad o maldad percibida del hecho transexual[323]. Incluso se les

---

[321] Blázquez N. Bioética Fundamental. Madrid: Biblioteca de Autores Cristianos, 1996; 486.

[322] Fitzgibbons RP, Philip MD, Sutton M, O'Leary D. The Psychopathology of «Sex Reassignment». Surgery Assessing Its Medical, Psychological, and Ethical Appropriateness. The National Catholic Bioethics Center 2009; spring: 98.

[323] Murphy T. LGBT people and the work ahead in Bioethics. Bioethics, 2015; 29 (6): iv. doi: 10.1111/bioe.12168.

muestra como custodios del tabú del sexo[324]. Estos planteamientos son, en general, un error ya que el núcleo de la cuestión médica no se basa en creencias o deseos, se fundamenta en lo que es lo bueno para el sujeto y, en ese marco, hay que tener en consideración muchos factores, desde los efectos secundarios, a la viabilidad, seguridad o reversibilidad del proceso. De ahí que la motivación de los médicos, que no colaboran con ciertos tratamientos en la reasignación de género, se asienta prioritariamente en la incertidumbre generada por la conveniencia de la propia técnica más que por una cuestión de índole religioso.

Si es cierto lo indicado en el párrafo anterior también lo es que los profesionales sanitarios se encuentran ante transexuales que se sienten personas infelices, que tienen un enorme desasosiego con su cuerpo, con el que no se identifican y que quieren transformar. Un problema que se agrava por las tendencias suicidas de este colectivo. Esos profesionales sienten que tienen que ayudar pero, en muchas ocasiones, no tienen claro el como hacerlo[325]. Esa duda, antes de los años 70 del pasado siglo se decantaba por consolar y orientar en la resignación. A partir de esa década, y cada vez en mayor número, la solución se ha encontrado en los cambios hormonales y quirúrgicos que llevan al cambio de género. Actualmente parece que ese péndulo extremo de soluciones se está volviendo a mover y se escuchan voces de profesionales sanitarios que cuestionan las intervenciones de cambio de género. Un caso reciente es el ya comentado anteriormente del Hospital Johns Hopkins que decidió dejar de realizar esas intervenciones. En las declaraciones de Paul McHugh, profesor de Psiquiatría de la Universidad Johns Hopkins, se pueden conocer las causas de esa decisión. Al mismo tiempo, a través de sus manifestaciones, una auténtica narrativa, también se puede intuir las incertidumbres que a un médico se le suscita cuando realiza ese tipo de intervenciones: «Los

---

[324] Benjamín H. The Transsexual Phenomenon. Nueva York: The Julian Press, 1996; 5. http://www.mut23.de/texte/Harry%20Benjamin%20%20The%20Transsexual%20Phenomenon.pdf (Accedido el 20 de diciembre de 2015).

[325] En cualquier caso no hay que desdeñar las cuestiones éticas relativas a los profesionales de salud mental que tienen que permitir o favorecer las cirugías de reasignación de género. Selvaggi G, Giordano S. The role of mental Elath professionals in gender reassignment surgeries: unjust discrimination or responsable care? Aesthetic Plast Surg, 2014; 38 (6): 1177-83.

hombres (y hasta hace poco todos ellos eran hombres) con los que hablé antes de su cirugía me decían que sus cuerpos e identidades sexuales estaban en desacuerdo. Los conocí después de los tratamientos hormonales y de cirugía y verse como "mujeres" les había hecho sentirse felices y contentos. Sin embargo, ninguno de estos encuentros fue convincente. Los sujetos post-quirúrgicos me parecieron caricaturas de mujeres. Llevaban los tacones altos, maquillaje abundante, y ropa extravagante; hablaron acerca de cómo se sentían capaces de dar rienda suelta a sus inclinaciones naturales para la paz, la vida doméstica, y la dulzura, pero sus grandes manos, y sus rasgos faciales gruesos eran incongruentes (y se volverían más aún a medida que envejecían)»[326]. La cuestión fundamental es llegar a saber si el sentimiento de felicidad es auténtico, independientemente de lo que al médico le pueda sugerir su apariencia, o un simple pastiche para poder sobrevivir.

En definitiva, y en palabras de López Moratalla, «la liberación de los prejuicios para conocer lo que ocurre en el cerebro de los transexuales es una necesidad médica, tanto para definir lo que es y no es un tratamiento terapéutico, como para guiar las acciones legales»[327].

6.5.1.6. La financiación del proceso

Según algunos autores, al estar incluido el transexualismo en las clasificaciones diagnósticas se «legitima el derecho a la asistencia sanitaria e impulsa y promueve la investigación»[328]. Muchos investigadores mantienen que con la definición de salud de la OMS que busca el bienestar físico, síquico y social del sujeto se sustenta que esos tratamientos sean financiados[329]. Sin embargo, para otros, esta afirmación es endeble porque, en ese caso, también habría que financiar las operaciones de cirugía estética u otras intervenciones destinadas

---

[326] McHugh P. Why we stopped doing sex change operations. http://www.firstthings.com/article/2004/11/surgical-sex (Accedido el 24 de septiembre de 2015).

[327] López Moratalla N, Calleja A. Transexualidad: una alteración cerebral que comienza a conocerse. Cuadernos de Bioética, 2016; XXVII: 81.

[328] Fernández. M, García-Vega E. Surgimiento, evolución y dificultades de diagnóstico de transexualismo. Rev Asoc Esp Neuropsiq, 2012; 32(113): 113.

[329] Polo C, Olivares D. Consideraciones en torno a la propuesta de despatologización de la transexualidad. Rev Asoc Esp Neuropsiq 2011; 31 (110): 295.

a solucionar deficiencias que la sociedad actual considera necesarias para desarrollar una vida aceptable.

La cuestión que cabe debatir es si se debería financiar los cambios de género, por los sistemas públicos o compañías aseguradoras, en el caso de no considerarse una enfermedad. No obstante, aún en el caso de estimarse una patología, se podría llegar a estimar que el tratamiento no debería ser financiado al no solucionar un problema, ya que el proceso quirúrgico se limitaría a camuflar o paliarlo. De esta manera, las intervenciones de cambio de género se situarían al mismo nivel que la medicina estética que si bien no hay reticencias para que el sujeto se beneficie de ella, si que las hay para que ésta sea financiada públicamente.

En un entorno sanitario deficitario como el actual se genera un auténtico dilema ante «el costo de un nuevo cuerpo que se acople con la sensibilidad interna y el cuerpo que debiera tener»[330]. No obstante, hay un activismo a favor de la financiación pública de la reasignación de género. Por ejemplo, el colectivo «Stop Tarns Pathologization» al que ya se ha hecho referencia en varias ocasiones, mantiene como uno de sus objetivos el libre acceso a los tratamientos hormonales y a las cirugías de reasignación sin la tutela psiquiátrica[331]. En este sentido, hay autores que indican que la financiación de los tratamientos hormonales y/o quirúrgicos, independientemente de la cuestión plástica, beneficia socialmente a los colectivos transexuales porque les otorga un estatus de más normalidad ante la población[332].

Por las cuestiones reseñadas en los párrafos anteriores hay una gran disparidad entre los distintos países a la hora de la financiación pública de las operaciones de reasignación de género. Una muestra de ello es que en España, cuando el sistema Nacional de Salud no ofrecía cobertura al tratamiento integral de reasignación de género, algunas Comunidades Autónomas lo asumieron por su cuenta[333].

---

[330]   Lizarralde G. Transexualismo y Bioética. Ciencia & Salud, 2012; 1(1): 62.
[331]   Polo C, Olivares D. Consideraciones en torno a la propuesta de despatologización de la transexualidad. Rev Asoc Esp Neuropsiq 2011; 31 (110): 286.
[332]   Roehr B. Comfortable in their bodies: the rise of transcender care. BMJ, 2015; 350: h3083.
[333]   Bustos Y. La transexualidad de acuerdo a la Ley 3/2007, de 15 de marzo. Madrid: Dykinson, 2008; 85-110.

6.5.1.7. *La influencia del entorno y los medios de comunicación*

En la reflexión ética sobre la reasignación de género hay que considerar de forma secundaria la influencia del entorno. Señalo que de forma secundaria ya que no es lo fundamental del caso, no hay ninguna duda de que la reflexión se asienta en la determinación de si supone un bien o no para el sujeto. No obstante, elegida la opción que se considere mas adecuada hay que contemplar otros aspectos que puedan influir en la decisión o que, al menos, la pueden matizar y que sea factible trabajar sobre ellos para crear un ambiente más adecuado para llegar a adoptar una decisión razonable y apropiada.

Un ejemplo de lo indicado en la anterior introducción lo encontramos en la visión que del transexualismo se ofrece en los medios de comunicación. Suele ser muy sesgada al estar mediatizada por lo que se podría denominar «resplandor Hollywood», la divulgación de casos mediáticos vendidos y adornados con un toque de glamour como, el de Caitlyn Jenner, que ocupó portadas de revistas de moda y de sociedad (Figura 4). El terapeuta Thomas Coughlin[334] señala que esta visibilidad distorsionada de los transexuales supone un riesgo al mostrarlos como personas hermosas, que pueden alcanzar ese patrón de belleza y de feminidad a través de la cirugía. No obstante, no todos pueden pagarse las decisiones que toman, algunos se quedan a medio camino o no son capaces de alcanzar aquellos cánones de belleza que se han propuesto. Coughlin destaca que se tiende a olvidar a los transexuales marginados (por ejemplo a los pertenecientes a la comunidad de color[335]), la victimización y la alta tasa de violencia que circunda a estos seres humanos. En este sentido el terapeuta afirma que es un contrasentido introducirse en esa espiral de hormonas si, muchos de ellos, no saben donde van a poder dormir esa noche o como van a pagar un médico o una cirugía por carecer de trabajo.

---

[334] Roehr B. Comfortable in their bodies: The rise of transgender care. BMJ 2015; 350: h3083.

[335] Se ha señalado que la población con mayor riesgo de discriminación es la transexual, de color y bajos ingresos. Davis S, Berlinger N. Moral progress in the public safety net: access for transcender and LGB patients. The Hastings Center Report, 2014; 44: s45-7.

Figura 4
La mediática Caitlyn Jenner (antes Bruce Jenner, deportista olímpico) ocupa la portada de Vanity Fair[336]

Qué distinta es la visión del transexual que se acaba de ofrecer a la que muestra Millot[337] en su libro *Exsexo,* considero que es de un gran valor la lectura de la narrativa introductoria de su libro y, por ello, incluyo a continuación un párrafo textual: «En los cabarets, en los locales de homosexuales de todo tipo, unas rubias deslumbrantes, super tías muy *stars,* se presentan imitando en *play back* las canciones de Marilyn Monroe, el modelo de todas, para pagarse la operación que acabara de hacerlas "verdaderas mujeres". Aquí la frontera es incierta, desde el travestido que según la definición de los especialistas esta preocupado por conservar bajo el vestido eso con que pasmar al prójimo pillándole por sorpresa, hasta el transexual que jamás ha tenido sino odio y desprecio por algo que le estorba en nombre de una virilidad que rechaza con todas sus fuerzas. En las calles de Pigalle, por la no-

---

336   Vanity Fair, 30 de junio de 2015. http://www.vanityfair.com/hollywood/2015/06/caitlyn-jenner-bruce-cover-annie-leibovitz (Accedido el 7 de diciembre de 2015)

337   Millot C. Exsexo. Buenos Aires: Catálogos Paradiso, 1984.

che, el cliente que gusta de los equívocos esta servido. Ya no puede
saber, pues todos los limites se confunden, si aquella soberbia brasileña
es una mujer, un hombre travestido —dotado a la vez de senos flaman-
tes que debe a los estrógenos y de un órgano muy viril— o un hombre
"transformado", provisto de una vagina artificial y que físicamente
ya no tiene nada de hombre. Operaciones de cirugía estética (nariz,
mentón, pómulos, arcos superficiales, manos, piernas) para feminizar
la cara y el cuerpo, operaciones de cirugía de transformación de los
órganos genitales, se practican hoy en cadena en casi toda Europa, y
desde hace tiempo en los Estados Unidos. Son innumerables los jóvenes prostitutos que las llevan a cabo, y ya no es posible juzgar que los
empuja a ello: las leyes del mercado de la prostitución, es decir la demanda del cliente (¿que es mas vendible: un travesti con o sin pene?), o
bien una determinación intima, una vocación decidida desde siempre».

También hay una influencia desde el ámbito científico. Es cierto
que hay cuestiones que la ciencia tiene que seguir investigando, también lo es que unos investigadores pueden considerar que su criterio
es más acertado que el de otros. Sin embargo, esto no es óbice para
desprestigiar o minusvalorar la profesionalidad de unos u otros. Lo
ético es demostrar que una tesis no es correcta o que tiene lagunas.
Otra situación, muy distinta, es desprestigiar al sujeto que tiene esa
idea por el simple hecho de ser contraria a la suya o a la aceptada socialmente. Por ejemplo, en uno de los textos de cabecera del
transexualismo The Transsexual Phenomenon de Benjamín se alude a
Kinsey (se ha hecho referencia a el en otro apartado del libro) califi-
cándolo como «científico objetivo» y enfrentándolo a Comstock[338] al
que se describe como «cruzado fanático y antisexual»[339].

Para terminar este capítulo me gustaría traer a colación una reflexión de Camps que refuerza la idea de la influencia de la publicidad
exhaustiva de la reasignación de género por vía quirúrgica. La citada
autora afirma que esa publicidad tan generosa y, en ocasiones unidi-

---

[338] Es cierto que Comstock está considerado como un ejemplo de defensor de la
       moralidad victoriana pero la alusión de Benjamín debería hacer referencia al
       problema latente del tipo de moralidad que sustenta Comstock y, por supuesto,
       en ningún caso reafirmar una idea ridiculizándolo porque su pensamiento pueda
       considerarse alejado de su planteamiento.
[339] Benjamín H. The Transexual Phenomenon. Nueva York: The Julian Press, 1996, 7.

reccional, «provoca confusión y, tal vez, la descompensación de personas que habían logrado cierta estabilidad en su personalidad»[340]. Este sesgo a favor de la reasignación quirúrgica y hormonal de género está muy patente en la sociedad actual, sin duda apoyada y auspiciada por los lobby LGTB[341]. En este sentido, quiero volver a hacer referencia a la película «La chica danesa» a la que ya hice alusión en el primer capítulo de este libro. En ella se muestra la dolorosa búsqueda de una persona transgénero para abrazar su verdadero yo. No obstante, la película parece presentar una única salida. Por otra parte, el resultado se presenta como satisfactorio, no reflejando el sufrimiento que hay después de la cirugía[342].

6.5.2. Perspectiva desde distintas corrientes de pensamiento

Para seguir abordando la cuestión ética de la reasignación de género puede ser interesante mostrar la visión que, sobre esta cuestión, ofrecen distintas corrientes de pensamiento. No se intenta acometer esta exposición de forma exhaustiva sino que se limitará a mostrar, de forma descriptiva, las aportaciones que sobre el tema han realizado distintos autores vinculados, de una forma más o menos directa, a las variadas formas de pensar. Se ha encontrado más bibliografía de aquellas corrientes que tienen una posición más decididamente contraria a la reasignación de género, por esta cuestión se podrá observar una cierta descompensación entre las distintas aportaciones argumentales.

En este marco, llama la atención la poca relevancia que desde el ámbito bioético se ha ofrecido a este asunto, de tal forma que en la mayoría de los manuales de esta disciplina no se haga alusión a esta

---

[340] Camps M. Identidad sexual y Derecho. Estudio interdisciplinario del transexualismo. Pamplona: Eunsa, 2007; 189.

[341] «La contemporánea historia, oscura e inquietante del movimiento transgénero, con su entusiasta aprobación de la cirugía de reasignación de género, ha dejado un rastro de miseria a su paso». Heyer W. «Sex change» surgery: what Bruce Jenner, Diane Sawyer, and you should know. Public Discourse, 27 de abril de 2015. http:www.thepublicdiscourse.com/2015/04/14905 (Accedido el 27 de enero de 2016).

[342] Heyer W. The Danish girl: people aren't born transgender, but playing dress-up can spark. Public Discourse, 5 de enero de 2016. http:www.thepublicdiscourse.com/2015/01/16191 (Accedido el 27 de enero de 2016).

cuestión o se pase por ella de una forma bastante simple o comedida. En 1998 Nelson detecta que la Bioética brillaba por su ausencia en la discusión transexual[343]. El citado autor, en el año 1912 continua constatando que el compromiso bioético con el cambio de género se había incrementado pero sólo ligeramente[344]. Wahlert y Fiester también consideran que la identidad de género no está dentro de las prioridades de la Bioética[345].

6.5.2.1. Feminismo radical

Comencemos valorando la reasignación de sexo desde los postulados de las defensoras extremas de la teoría de género. Si el sexo no existe y es la cultura la que ha determinado esa diferencia y, por lo tanto, el género no es más que una práctica como mantiene Butler[346] lo lógico sería que la construcción mental del sujeto no condicionara su exterior, hasta el punto de tener que recurrir a un acomodamiento de su físico para atender a las demandas de la cultura sobre su siquis. Sin embargo parece que este no es el esquema que utilizan las defensoras del feminismo radical ya que estiman más importante la transgresión, aunque sea incoherente con sus presupuestos, que otro tipo de premisas. En este sentido también se puede hacer alusión a De Laurentis cuando hace referencia a la domesticación corporal con medios audiovisuales y farmacológicos para evidenciar la ficción somática y política de la certeza de ser hombre o mujer[347]. Como se puede observar, detrás de estos planteamientos hay una determinada concepción dualista del ser humano, en el que el cuerpo es algo secundario, ajeno y manipulable. No obstante, «incluso aquellas identidades que se presentan como más transgresoras y desafían la bipolaridad sexual de nuestra sociedad a partir del rechazo de cualquier tipo de modelo

---

[343]   Nelson JL. The silence of the bioethicists: Ethical and political aspects of managing gender dysphoria. GLQ, 1998; 4 (2): 213-30.

[344]   Nelson JL. Still quiet alter all these years: revisiting «the silence of the bioethicists». J Bioethical Inquiry, 2012; 9 (3): 249-59.

[345]   Wahlert L, Fiester A. Queer Bioethics: why its time has come. Bioethics, 2012; 26 (1). doi:10.1111/j.1467-8519.2011.01957.x.

[346]   Butler J. El género en disputa. Barcelona: Paidós, 2007.

[347]   De Laurentis T. Technologies of gender. Bloomington: Indiana University Press, 1987.

estereotipado de mujer o de hombre (ni intervenciones quirúrgicas ni patrones de belleza) necesitan al cuerpo como reflejo de ese posicionamiento político, social y personal»[348].

La perspectiva dualista está muy presente, aunque pocos lo hayan percibido, en la «ideología de género» que está detrás del feminismo radical y que impregna muchas de las estructuras sociales actuales. Esta ideología considera la orientación sexual como algo que no depende de lo simplemente fáctico, de lo corpóreo, sino de las decisiones libres de las personas[349]. Por ello, habría que superar, según los defensores de esta ideología, la «mentalidad tradicional», que divide al mundo entre hombres y mujeres, para abrirse a un número variable (entre cinco y ocho según los diversos modos de hacer las divisiones) de opciones sexuales: la masculina, la femenina, la homosexual (dividida en masculina y femenina), la bisexual (dividida a su vez en masculina y femenina) y la transexual (dividida en transexual masculino y transexual femenino). Cabrían más posibilidades, pero las dejamos de lado para no ser excesivamente exhaustivos[350]. Esta perspectiva dualista propone, en el tema del transexualismo, secundar y acompañar al transexual para que pueda conquistar aquel cuerpo que desea.

Un aspecto curioso y que pone en evidencia lo mantenido en los párrafos anteriores es el hecho de que el feminismo radical, en un principio, acogió muy bien el transexualismo ya que, como se ha indicado, se percibía como una forma de transgresión sexual y se contem-

---

[348]   Vartabedian J. El cuerpo como espejo de las construcciones de género. Una aproximación a la transexualidad femenina. Quaderns-e de l'Institut Català d'Antropologia, 2007; 6-7.
        http://www.raco.cat/index.php/QuadernseICA/article/viewArticle/109038/0. (Accedido el 3 de marzo de 2016).

[349]   Vartabedian destaca que esos análisis feministas «han contribuido a difuminar los esencialismos que encadenan la realidad social a lo estrictamente biológico, no obstante, ellos mismos caen muchas veces en las redes de un determinismo absoluto de lo social». Vartabedian J. El cuerpo como espejo de las construcciones de género. Una aproximación a la transexualidad femenina. Quaderns-e de l'Institut Català d'Antropologia, 2007; 1.
        http://www.raco.cat/index.php/QuadernseICA/article/viewArticle/109038/0. (Accedido el 3 de marzo de 2016).

[350]   Pascual F. Una reflexión sobre la transexualidad.
        http://www.es.catholic.net/op/articulos/20247/cat/319/una-reflexion-sobre-la-transexualidad.html (Accedido el 2 de junio de 2014).

plaba, en el caso de los transexuales HM, como la máxima expresión de la mujer desligada del hombre, de forma que «libres de las cadenas de la menstruación y de la procreación, las mujeres transexuales son evidentemente muy superiores a las mujeres genéticas. El futuro pertenece a las mujeres transexuales» (...). En cambio, las transexuales MH hacían «delirar a las feministas, que ven en ellos un reconocimiento a la causa de las mujeres, una abdicación caballeresca de sus prerrogativas viriles, depositadas a los pies de las mujeres»[351]. No obstante, ese apoyo inicial a los transexuales por el feminismo radical ha ido presentando fisuras con el tiempo, debido a que los transexuales no son, en esencia, transgresores y una vez logrado su nuevo estatus de género se comportan con todos los clichés asociados al sexo: por ejemplo los transexuales HM se sienten muy femeninas, se consideran heterosexuales y buscan relaciones estables. En otras palabras, los transexuales han venido a reafirmar el dimorfismo sexual tan denostado por el feminismo radical. Terminamos con el planteamiento que formula Vartabedian: «si la anatomía dejó de ser destino, ¿qué papel posee el cuerpo en la experiencia transexual si se tiene en consideración que casi todos los transexuales lo modifican en mayor o menor medida para representar la forma (diversa y heterogénea) de entender lo femenino?»[352].

6.5.2.2. *Ética humanista*

En la bibliografía sobre transexualismo es frecuente que se haga alusión a una *ética humanista* para fundamentar el proceso de reasignación de género. No obstante, hay que destacar que en la mayoría de esos textos, en realidad, no se está apelando a una autentica ética basada en el la búsqueda del bien sino a una elección basada en el predominio del hecho sentimental. En este sentido, es frecuente que se recurra a la *humanidad* en la atención al otro para justificar el cambio de género, sin llegar a abordar si esa es la mejor opción. Es decir, se

---

[351]   Millot C. Exsexo. Buenos Aires: Catálogos Paradiso, 1984.

[352]   Vartabedian J. El cuerpo como espejo de las construcciones de género. Una aproximación a la transexualidad femenina. Quaderns-e de l'Institut Català d'Antropologia, 2007; 1.
        http://www.raco.cat/index.php/QuadernseICA/article/viewArticle/109038/0. (Accedido el 3 de marzo de 2016).

trata de un planteamiento sentimental desligado de una determinada Antropología. Es importante tener en consideración la anterior premisa para no confundir, en la reflexión ética, el objeto con las circunstancias o el objetivo del sujeto[353].

Aún considerando que la expresión «ética humanista» no es adecuada para una apreciación sentimentalista se hará referencia a ella por la gran repercusión que tiene en muchos ámbitos dedicados a la reflexión de género. La otra perspectiva, la ligada a una Antropología, se abordará en otros epígrafes como, por ejemplo, el relativo al personalismo.

Según Soley-Beltrán, la reasignación de sexo es, desde una Ética humanista, una forma de «aliviar el sufrimiento de los pacientes que declaraban sentir un doloroso desacuerdo entre su identidad —masculina o femenina— y su morfología física»[354]. De esta forma, la terapia transgénica contribuiría al bien que supone la protección de la salud mental. Como se puede observar, en este planteamiento no hay una visión de conjunto del ser humano, se considera que el bien máximo es la protección de la salud mental del individuo.

6.5.2.3. Utilitarismo

Desde una perspectiva utilitarista, en la línea de John Stuart Mills, de no interferencia con los objetivos y preferencias individuales en cuanto no causen daño o molestia a otros, no parece que haya problema con la reasignación de género ya que el bien del sujeto que se somete a ella (si realmente es un bien) no parece generar daños a otros[355]. Por lo tanto, la cuestión central no estará en el cambio de género en sí mismo considerado, sino en su repercusión sobre la sociedad. Por ejemplo, la cuestión se basaría en determinar si es útil para la sociedad financiar el cambio de género.

---

[353] «La acción o *ergon* humano tiene, como la de todo ser, un *telos* o fin natural: hay acciones que son conformes a la naturaleza de un ser y otras que no lo son. La naturaleza entendida en este sentido (fin natural accesible a la inteligencia) es el baremo de la conducta correcta o incorrecta». Pardo A. Cuestiones básicas de Bioética. Madrid: Rialp, 2010; 27.

[354] Soley-Beltrán P. Transexualidad y transgénero: una perspectiva Bioética. Revista de Bioética y Derecho 2014; 30: 23.

[355] Habrá que contemplar los daños directos y a otros indirectos como son aquellos que pudieran llegar a afectar a la forma de comprenderse la sociedad.

Dentro de la perspectiva utilitarista se puede hacer alusión al enfoque cientificista en el que el progreso entendido en sí mismo es lo útil. En este sentido se puede justificar la reasignación de género como una manifestación de ese desarrollo de competencias técnicas del ser humano. En definitiva, según Millot no hay transexual sin técnica, sin la actividad de ciertos profesionales sanitarios, «el transexual no existe sin el cirujano y el endocrinólogo, representantes del Otro de la Ciencia. El hecho de que ese Otro se ofrezca para responder al interrogante del deseo conduce al transexual a constituirse en el objeto de su goce. Es el cobaya ofrecido en cuerpo y alma a la Ciencia, y paga con su carne para dar consistencia al fantasma de omnipotencia de la Ciencia moderna»[356].

6.5.2.4 Consecuencialismo

Según Polo ser consecuencialista es esperar el resultado de los actos para juzgar si una acción es buena o mala. De ahí que el sentimental sea consecuencialista, pues busca, como fin, el agrado, el placer, el «estar bien»[357]. Con estas premisas nos encontramos con que la visión consencuencialista puede ser acorde con el criterio de considerar la reasignación de género moralmente aceptable. Pero, al mismo tiempo, el consecuencialista puede contemplar más allá de esos primeros resultados para el sujeto y estimar que, a largo plazo, puede afectarle personalmente negativamente. Por ejemplo, puede pensar que ese gasto le podría perjudicar al privarle de algún beneficio sanitario por limitación de los fondos públicos. En ese marco, podría justificar su decisión en el hecho de no contemplar la reasignación de género como una prioridad en el sistema de salud. En este sentido, como ya se ha indicado anteriormente, desde algunos sectores se llega a contemplar como una terapia próxima a la cosmética[358].

También desde esta perspectiva habrá que realizar una ponderación que evalúe si la solución es adecuada o, al menos, proporcionada.

---

[356] Millot C. Exsexo. Buenos Aires: Catálogos Paradiso, 1984.
[357] Polo L. ¿Qué es ser consecuencialista? http://preguntaspolianas.blogspot.com.es/2010/09/que-es-ser-consecuencialista.html (accedido el 10 de mayo de 2016).
[358] Muñoz E. Ética y transexualismo. Grupo de Ciencia, Tecnología y Sociedad (CSIC), 2001; Documento 01-10: 4.

Algunos autores señalan que no existe esa proporción. Por ejemplo, Sgreccia mantiene que se ha constatado científicamente que la ejecución de la intervención quirúrgica no supera el conflicto precedente, ni recompone la armonía con el nuevo sexo, sino que incluso parece agravar el sentimiento de frustración[359]. Llama la atención que la Bioética ha dejado de lado las grandes preguntas sobre las consecuencias del transexualismo, esas que hacen referencia al bien del propio ser humano, para centrase en otras mas secundarias (acceso, equidad, desigualdad) que no carentes de valor, al no son las prioritarias en la discusión ética, se podrían considerar derivadas de las anteriores[360].

6.5.2.5. Personalismo

El Personalismo integra «la sexualidad en la persona» (…), «mostrando a la persona como un ser sexuado»[361]. El Personalismo parte de un concepto del cuerpo integrado en el ser, de esta forma se separa de esas posturas dualistas propias de los feminismos radicales. A la pregunta de Vartabedian de «¿dónde está el cuerpo que sufre, goza, transpira, engorda y envejece?» es fácil responder desde el personalismo[362].

Se puede aludir aquí a la opinión de Sgreccia que, siendo una de las figuras de la Bioética personalista, se ha pronunciado sobre la reasignación de género. Para este autor la intervención es ilícita ya que, aun considerando la hipótesis de la irreversibilidad comprobada, «el principio moral de la "terapeucidad" exige unas precisas condiciones para poder aplicarse lícitamente: que la intervención tenga un porcentaje de éxito, que sea realmente terapéutica en el sentido de que

---

[359] Sgreccia E. Manual de Bioética II. Aspectos médico-sociales. Madrid: Biblioteca de autores cristianos, 2014; 190.

[360] Murphy T. LGBT people and the work ahead in Bioethics. Bioethics, 2015; 29 (6): ii. doi: 10.1111/bioe.12168.

[361] Burgos JM. Dos formas de afrontar la identidad sexual: personalismo e ideología de género. En: Aparisi A. Persona y Género. Cizur Menor: Aranzadi, 2011; 416.

[362] Vartabedian J. El cuerpo como espejo de las construcciones de género. Una aproximación a la transexualidad femenina. Quaderns-e de l'Institut Català d'Antropologia, 2007; 3.
http://www.raco.cat/index.php/QuadernseICA/article/viewArticle/109038/0. (Accedido el 3 de marzo de 2016).

se dirija al bien de todo el físico eliminando una parte enferma, que remedie una situación actual incurable de otro modo y que respete el bien superior y moral de la persona. Ahora bien, estas condiciones no se dan en nuestro caso de modo simultáneo —como se exige moralmente— ni singular»[363]. En este marco, Sgreccia hace alusión a que, en último término, el proceso concluye con mutilación de los genitales, la castración, la esterilización y la privación de una verdadera y propia función copulativa y procreativa. Por lo tanto, para el citado autor, la intervención quirúrgica resulta moralmente injustificada, y por ello ilícita, al intervenir una *parte físicamente no* enferma sino sana[364] para buscar un resultado sobre el plano psicológico-personal, que, además, no se obtiene (hace alusión a las tasas de suicidios[365]). Con este planteamiento, señala que «falta la posibilidad de aplicar en este caso el principio de "intervención terapéutica" con la meta de alcanzar un bien superior, que además tendría que darse en el mismo plano físico. Ni siquiera se puede invocar la irreversibilidad del mal ni el "no poderse remediar de otro modo" porque, aparte de la permanente resistencia del trastorno a un tratamiento psico-terapéutico —que no conseguiría ningún resultado según la mayoría de especialistas—, no se elimina este trastorno, sino que por este camino se agrava. Por último, el bien superior, moral y personal del individuo se ve comprometido posteriormente»[366].

---

[363] Sgreccia E. Manual de Bioética II. Aspectos médico-sociales. Madrid: Biblioteca de autores cristianos, 2014; 194.

[364] No hay que olvidar que «la intervención sobre el físico no adecua el sexo al que se desea, sino que más bien introduce una nueva disonancia en lo físico entre los elementos cromosómicos y gonádicos y los órganos externos, éstos carecen de plana inervación "propioceptiva" y persisten como prótesis artificiales y no como órganos de sentido y expresión emotiva y funcional». Guerra S, Zapata B, Fornari G. Transexualismo: aspectos éticos, legales y religiosos. Psiquiatría Forense, Sexología y Praxis, 1999; 3 (2): 3. http://www.medicinaforenseperu.org/media/documentos/20100216175836.pdf. (Accedido el 21 de enero de 2016).

[365] Porque aumentan los trastornos por la insatisfacción que genera al comprobar que los problemas nos disminuyen sino que, incluso, pueden aumentar. No aceptación social, perdida de entorno familiar, falta de trabajo, desilusión al no encontrase satisfechas las expectativas personales, problemas de carácter o salud debidos a la hormonación, etc.

[366] Sgreccia E. Manual de Bioética II. Aspectos médico-sociales. Madrid: Biblioteca de Autores Cristianos, 2014; 195.

Sgreccia siguiendo con su argumentación, para refutar las intervenciones de cambio de género, señala que el cuerpo humano, en su complexión objetiva de masculinidad y feminidad, expresa «objetivamente» la actitud de toda la persona y no solamente su aspecto provisional o su aspecto físico exterior. En la visión cristiana del hombre, se reconoce una función particular en el cuerpo, ya que contribuye a revelar el sentido de la vida y la vocación humana. La corporalidad es, en efecto, el modo específico de existir y de actuar del espíritu humano. Este significado es principalmente de naturaleza antropológica: "el cuerpo revela al hombre, expresa la persona"»[367]. De ahí que la terapia transgénero suponga, para diversos autores, un atentado al principio de integridad del cuerpo[368].

Con estas premisas, Sgreccia ofrece la única solución que encuentra lícita: «Evidentemente, con lo dicho no pretendemos insinuar una postura de rechazo hacia la situación de sufrimiento de estos individuos, que deberán ser ayudados con métodos de psicoterapia y apoyo humano, como se hace con los que sufren o tienen alguna minusvalía. Solo queremos a lo sumo aclarar una postura que quiere ahorrar sufrimiento futuro y no juzga posible subvertir el orden ético de la persona»[369]. Esta subversión puede venir del hecho de dar prioridad a la «conciencia de género», entendida como una conciencia psicológica, sobre la «conciencia moral» basada en la capacidad del intelecto humano para captar la verdad objetiva del propio ser y la norma objetiva del propio actuar[370]. Ante esta premisa quedaría por dilucidar la coherencia en relación a las decisiones tomadas en otras intervenciones médicas. Por ejemplo, se indica que si hay una minusvalía se

[367] Sgreccia E. Manual de Bioética II. Aspectos médico-sociales. Madrid: Biblioteca de Autores Cristianos, 2014; 196. Cozzoli señala que el cuerpo tiene un valor que contribuye esencialmente en la persona, de ahí que resulte inaceptable una cirugía que transforme el cuerpo en función del deseo sicológico. Cozzoli M. Il problema ético del transexualismo. Medicina e Morale, 1986; 4: 806-13.

[368] Muñoz E. Ética y transexualismo. Grupo de Ciencia, Tecnología y Sociedad (CSIC), 2001; Documento 01-10: 4.

[369] Sgreccia E. Manual de Bioética II. Aspectos médico-sociales. Madrid: Biblioteca de autores cristianos, 2014; 200.

[370] Guerra S, Zapata B, Fornari G. Transexualismo: aspectos éticos, legales y religiosos. Psiquiatría Forense, Sexología y Praxis, 1999; 3 (2): 4.
http://www.medicinaforenseperu.org/media/documentos/20100216175836.pdf (Accedido el 21 de enero de 2016).

ayuda humanamente con sicoterapía pero se omite que, en ocasiones, ese problema también se ayuda o resuelve con técnicas más agresivas, incluso con cirugía. En este sentido López Azpitarte señala que si en los casos de cierta ambigüedad sexual se acepta «un tratamiento acorde con la identidad en que la persona ha sido educada, aunque el sexo gonádico sea distinto y existan manifestaciones del contrario, no se ve por qué la intervención quirúrgica se hace inadmisible cuando el desajuste alcanza sólo los niveles sicológicos. El respeto y la fidelidad hay que mantenerlos también con los datos de la sicología, sin que la intervención sobre el propio cuerpo deba quedar orientada exclusivamente por los datos biológicos»[371]. En todo caso, en este último planteamiento habría que diferenciar muy bien entre deseo sicológico y necesidad sicológica.

Como ya se ha indicado anteriormente, no es posible abordar la cuestión de la reasignación de género, desde una perspectiva personalista, sin hacer referencia al significado de la sexualidad. Entendiendo, en la línea mantenida por Marías, que hay que distinguir entre el carácter sexual y el sexuado de las personas[372]. El carácter sexual remite a datos biológicos, genéticos o somáticos. En cambio, el carácter sexuado remite a una concepción de la integración de la sexualidad en la persona. De esta premisa Burgos extrae la conclusión que para el Personalismo no existe la persona en cuanto tal, sino dos modos específicos de ser persona: la masculina y la femenina, se es varón o mujer en todas y cada una de las dimensiones, capacidades y cualidades que configuran la estructura de la persona[373]. Fuentes indica que la dimensión sexual de la persona humana «afecta a cada individuo de manera total y en todas las esferas de su personalidad. También, y de modo necesario, en la esfera psicoafectiva. La sexualidad participa de la estructura ontológica del ser humano. Esto supone que la feminidad y masculinidad, que abarcan a toda la persona, suponen elementos corporales, intelectuales, volitivos, afectivos, pasionales, etc. La sexualidad, y el placer que comporta, podrán estar debidamente

[371]   López Azpitarte E. Simbolismo de la sexualidad humana: criterios para una ética sexual. Santander: Sal Terrae, 2001; 124.
[372]   Marías J. Antropología metafísica. Madrid: Alianza Editorial, 1987; 120-5.
[373]   Burgos JM. Dos formas de afrontar la identidad sexual: personalismo e ideología de género. En: Aparisi A. Persona y Género. Cizur Menor: Aranzadi, 2011; 417-8.

integrados en la persona, y también podrán estar disociados en mayor o menor grado»[374].

En definitiva, desde el punto de vista del Personalismo, los comportamientos transexuales, según Burgos, son ciertamente posibles pero «no constituyen mas que las excepciones a la regla general, que nos muestra dos tipos de sexualidad básicas: la femenina y la masculina» (...) «en cuanto personas debemos comprender qué significa ser persona y cuál es nuestro lugar en el mundo, debemos comprender qué significa ser hombre o mujer en general y, en concreto, para nosotros. Pero de ahí no se deduce que podamos elegirlo, de la misma manera que no podemos elegir ser o no ser personas». El citado autor continúa reflexionando sobre la cuestión afirmando que «el cuestionamiento de la identidad sexual es un modo de cuestionamiento de la identidad personal, por lo que solo se da en un número limitado de personas»[375]. En este punto faltaría una respuesta ulterior, la dirigida a ese número limitado de personas.

6.5.2.6. Principialismo

La discusión ética también se puede abordar desde planteamientos principialistas, entendidos éstos como los derivados de los principios bioéticos propuestos en el informe Belmont. Así, se encuentra una lectura de la eticidad del proceso atendiendo a los principios de no maleficencia, beneficencia, justicia y autonomía. En este ámbito se genera un problema ya que la resolución vendrá determinada por dos variables. La primera será la amplitud que se otorgue a cada uno de esos conceptos[376]. La segunda, la preeminencia que se asigne a cada principio en relación con el resto[377].

---

[374] Fuentes JA. Desviaciones de la sexualidad. Parafilias y transexualismo en las causas de nulidad matrimonial canónica. *Ius Canonicum* 2013; 53: 659.

[375] Burgos JM. Dos formas de afrontar la identidad sexual: personalismo e ideología de género. En: Aparisi A. Persona y Género. Cizur Menor: Aranzadi, 2011; 421.

[376] Por ejemplo, habrá una diferencia sustancial si la beneficencia se asocia a lo que el profesional sanitario considera que es bueno para el paciente o lo que éste último considera que es bueno para él. Así, un médico puede pensar que no es beneficioso para un determinado paciente una amputación de un órgano sano y, en cambio, el paciente, pensar que eso es necesario para ser feliz y estar realizado.

[377] Puede existir una discrepancia entre los principios y el resultado final venga determinado por aquel principio al que se le de una mayor relevancia.

Según Lindemann, la no maleficencia sería la principal justificación a la hora de evaluar el caso[378]. La autonomía del paciente le llevaría a poder determinar si quiere sufrir una intervención quirúrgica que otorgue estabilidad al equilibrio entre su cuerpo y su mente. Además, esa autonomía se sustentaría en la reivindicación del «dominio del sujeto sobre su propia corporeidad y también sobre la vida física en general»[379]. Hay autores que consideran que este principio es cercenado por una consideración del principio de no maleficencia, en los términos señalados en el párrafo anterior, cuando se otorga mas preponderancia a la posibilidad que a la realidad de arrepentimiento[380]. En este punto, se abriría una interrogante para los menores, hasta que punto sus representantes legales pueden decidir por ellos que se les efectúe una mutilación.

Sobre el principio de beneficencia realiza una importante aportación Muñoz. Este autor señala que «una definición amplia de salud, como bienestar físico y psicológico completo, daría apoyo a la operación transexual. En contra se esgrimen una serie de argumentos: a) los criterios médicos se sustentan en la subjetividad del paciente; b) no se trata de una patología propiamente dicha; c) la dureza del tratamiento médico-quirúrgico y su irreversibilidad»[381].

---

[378] «Si bien los datos indican que el arrepentimiento posterior es raro, la posibilidad es real» Lindemann J. Still quiet alter all these years. Bioethical Inquiry, 2012; 9: 256.

[379] Guerra S, Zapata B, Fornari G. Transexualismo: aspectos éticos, legales y religiosos. Psiquiatría Forense, Sexología y Praxis, 1999; 3 (2): 3. http://www.medicinaforenseperu.org/media/documentos/20100216175836.pdf. (Accedido el 21 de enero de 2016).

[380] Para Hale los estándares médicos, propuestos por la Asociación Profesional Mundial de la Salud Transgénero, para garantizar una atención ética de calidad adecuada a los pacientes que solicitan la intervención médica para cambio de género, suponen una discriminación. Estima que esto es así porque este requisito obliga a tratarlos como una clase diferente de otras poblaciones de pacientes, ya que la propia solicitud se puede considerar como un fenómeno de incapacidad que es éticamente indefendible en sí mismo pero que, además es especialmente perniciosa en un contexto sociocultural y político que ya se niega a otorgar a personas con trastornos de género un estatus moral completo. Hale CJ. Ethical problems with the mental Ethical evaluation standards of care for adult gender variante prospective patients. Perspect Biol Med, 2007; 50 (4): 491-505.

[381] Muñoz E. Ética y transexualismo. Grupo de Ciencia, Tecnología y Sociedad (CSIC), 2001; Documento 01-10: 5.

Por último, contemplando el principio de justicia se puede ponderar las consecuencias que tiene los cambios de sexo para el mantenimiento de una forma de entender la sociedad.

Lizarralde, realizando una visión de la reasignación de género desde la perspectiva de los principios que auspicia el principialismo, señala que cuando no se permite el cambio de sexo «la autonomía no es tenida en cuenta, es repudiada, al no poder mostrar al mundo la verdadera identidad»(...). «La no maleficencia se atropella desde el mismo momento en que muchos profesionales rehúsan la atención a estas personas»[382]. En este sentido, aquellos a los que no se les facilita la reasignación de género, pueden autohormonarse y someterse a intervenciones quirúrgicas sin la necesaria calidad asistencial, lo que pondría su salud en peligro[383]. La decisión judicial de quien tiene opción a una intervención o no es de una gran relevancia y, en todo caso, son necesario unos criterios de diagnóstico claros.

Como se puede desprender de las afirmaciones mantenidas en los anteriores párrafos, desde el principialismo se puede auspiciar una tesis y la contraria, todo dependerá del peso que se otorgue a cada uno de los principios en liza[384].

---

[382]　Lizarralde G. Transexualismo y Bioética. Ciencia & Salud, 2012; 1(1): 60. Lindemann señala que la posición otorgada a los sicólogos y siquiatras en los estándares de cuidado violan los principios de Bioética. Lindemann J. Still quiet alter all these years. Bioethical Inquiry, 2012; 9: 256.

[383]　Fernández. M, García-Vega E. Surgimiento, evolución y dificultades de diagnóstico de transexualismo. Rev Asoc Esp Neuropsiq, 2012; 32(113): 113.

[384]　Hale mantiene que los estándares de la WPATH, de los que nos hemos ocupado en otro apartado, violan los principios de la Bioética articulados por Beauchamp y Childress. Hale CJ. Ethical problems with the mental health evaluation standards of care for adult gender variante prospective patients. Perspectives in Biology and Medicine, 2007; 50 (4): 491-505.

7. EL TRANSGENERISMO

Una alternativa al transexualismo tradicional, a la que ya se ha realizado una breve alusión en el capítulo 3, es lo que se ha denominado el transgenerismo. Se trata de una respuesta al transexualismo abocado a la reasignación de sexo, y muy acorde con la teoría de género más extrema. Este concepto emerge, en los años noventa del pasado siglo[385], de los movimientos transexuales norteamericanos en oposición al transexualismo como categoría médica y como una crítica al sistema binario hombre-mujer[386].

En el transgenerismo se opta por una ambigüedad admitida y utilizada conforme les place sin tener que someterse a patrones estructurales de dualidad sexual[387]. Por ejemplo, los transgénero son aquellas personas que pueden tomar hormonas y no se operan o, incluso que pueden operarse y no llegar a tomar hormonas[388]. Los transexuales «tradicionales» miran este movimiento como un medio, un estado estacionario que podrá durar más o menos pero que estará abocado a la reasignación se género. Sin embargo, el transgenerismo plantea que «los transexuales tradicionales lo único que hacen con su deseo de acercarse al rol tradicional del sexo opuesto es apuntalar toda esta economía del sistema sexo-género y, paradójicamente, como conse-

---

[385] Se hace referencia a Leslie Feinberg como el precursor del movimiento con la publicación en 1992 de su trabajo: «Transgender liberation: a movement whose time has come». Se puede acceder al trabajo en una reedición posterior: Feinberg L. Transgender liberation: a movement whose time has come. En: Stryker S, Whittle S. The trasgender studies reader. New York: Taylor&Francis Group, 2006; 205-20.

[386] Missé M. Transsexualitats. Altres mirades posibles. Barcelona: Editorial UOC, 2013; 11.

[387] Vartabedian J. El cuerpo como espejo de las construcciones de género. Una aproximación a la transexualidad femenina. Quaderns-e de l'Institut Català d'Antropologia, 2007; 7.
http://www.raco.cat/index.php/QuadernseICA/article/viewArticle/109038/0. (Accedido el 3 de marzo de 2016).

[388] «El sujeto transgenérico va a reivindicar una nueva corporalidad y una nueva subjetividad, que se muestra transgresora con las categorías sexuales establecidas». Balza I. Bioética de los cuerpos sexuados: transexualidad, intersexualidad y transgenerismo. Revista de Filosofía Moral y Política, 2009; 40: 247.

cuencia de ello generan un refuerzo de los mecanismos sociales que están en el origen mismo de la llamada disforia»[389].

Actualmente también se incluye dentro del transgenerismo a los sujetos intersexuales que deciden permanecer «en un estado de sexuación ambiguo»[390].

Parece ser que, en los últimos años, el transgenerismo esta adquiriendo un mayor protagonismo y son frecuentes los varones que quieren tener una apariencia femenina sin prescindir de sus genitales o, en el caso contrario, de mujeres que presentan disforia sobre sus pechos pero, en cambio, nos les molesta sus ovarios ni su vagina y no están dispuestas a operarse. O dicho de otra forma, sujetos que no requieren de una transición de género completa[391] o que ni tan siquiera quieren utilizar hormonas[392]. Estos planteamiento se podrían englobar en el proceso denominado *medicina del deseo*, que es la legitimación de un afán por buscarse a sí mismo y querer vivir de acuerdo con lo que se piensa o siente en un determinado momento. Nos da idea de ello un ejemplo que proporcionan González y Puerta: «en una película de Pedro Almodovar, "todo sobre mi madre" (1999), un transexual llamado Agrado expresa con deslumbrante nitidez la idea de autenticidad a la que nos venimos refiriendo: "Me ha costado mucho ser auténtica. Pero no hay que ser tacaña con todo lo relacionado con nuestro aspecto. Porque una mujer es más auténtica cuanto más se parece a lo que ha soñado de sí misma[393]"».

Uno de los problemas que conlleva el transgenerismo es que hace necesario un replanteamiento del concepto de disforía. Efectivamente, uno de los hechos que ha sustentado la admisibilidad de las intervenciones de cambio de género, y su financiación pública, es el hecho

---

[389]   Hernández M, Rodríguez G, García-Valdecasas J. Género y sexualidad: consideraciones contemporáneas a partir de una reflexión en torno a la transexualidad y los estados intersexuales. Rev Asoc Esp Neuropsiq 2010; XXX (105): 87.

[390]   Balza I. Bioética de los cuerpos sexuados: transexualidad, intersexualidad y transgenerismo. Revista de Filosofía Moral y Política, 2009; 40: 247.

[391]   Kira K. A psycho-endocrinological overview of transsexualism. European Journal of Endocrinology, 2003; 148: 373.

[392]   Roehr B. Comfortable in their bodies: the rise of transcender care. BMJ, 2015; 350: h3083.

[393]   González JL, Puerta JL. Tecnología, demanda social y «medicina del deseo». Medicina Clínica, 2009; 133 (17): 673.

de que al sujeto se le hace imposible vivir con unos órganos del sexo que siente que no es el suyo. Por esta causa, esos órganos le generan tal rechazo y odio que le es imposible convivir con ellos. Si ese hecho deja de ser radical y se trata de opciones «a la carta» se requerirá un cambio o adaptación del concepto de disforia. Por ejemplo, si un varón se siente mujer es comprensible que su pene se transforme en su enemigo, o si una mujer se siente hombre sus pechos serán un obstáculo para vivir conforme al género sentido. Lo que no es tan fácil de catalogar es la situación provocada por un transexual HM que manifieste una disforia a sus pequeños pechos y no le tenga ninguna animadversión a su pene y escroto. Con esta reflexión no se pretende realizar una crítica al transgenerismo que, por otra parte, puede representar una opción menos agresiva que la reasignación de género clásica. Lo que se quiere señalar es que es una opción más difícil de clasificar, en la que habría que trabajar desde los distintos sistemas de diagnóstico y, sin lugar a duda, es más complicada de sustentar desde el plano de los beneficios sanitarios.

8. ADOLESCENTES Y DISFORIA DE GÉNERO

Cada vez es mas frecuente la presencia de adolescentes en las unidades de tratamiento de identidad de género, bien para recibir tratamiento hormonal o quirúrgico. Fernández *et al.* señalan que en la Unidad de Tratamiento de Identidad de Género del Principado de Asturias (U.T.I.G.P.A.), desde el año 2007-2010, la edad mínima de los transexuales HM era de 16 años y de los MH de 17 años. En cambio, de 2013-2014 se observa una tasa de incidencia de demandantes cada vez más jóvenes, con una edad mínima de 13 años[394]. En este mismo sentido, varios medios de comunicación, en el año 2015, se hicieron eco de la preocupación del incremento del número de niños pequeños —desde los tres años— que estaban siendo remitidos al Servicio Nacional de Salud del Reino Unido (NHS) para tratamientos de «cambio de sexo». Esta cifra se cuadriplicó en los últimos seis años, de acuerdo con el Tavistock and Portman Trust, un centro del NHS especializado en temas de género para menores de 18 años. En cuanto a datos concretos, 77 niños por debajo de los 11 años fueron remitidos a su Servicio de Desarrollo de la Identidad de Género. De ellos, 20 tenían sólo tres o cuatro años de edad. En 2009-2010 el centro dijo haber tenido 19 remisiones en total[395].

La identidad de género en la infancia ya se consideró en las primeras clasificaciones internacionales (esta cuestión fue tratada en el apartado de diagnóstico). Por ejemplo, en el DSM-III se le denominó «trastorno de identidad de género en la infancia». En los Estándares Asistenciales (EA) de la Asociación Mundial para los Profesionales de la Salud Transgénero no incluían la reasignación sexual hormonal

---

[394] Fernández M, Guerra P, Díaz M, García-Vega E, Álvarez-Diz JA. Nuevas perspectivas en el tratamiento hormonal de la disforia de género en la adolescencia. Actas Esp Psiquiatr 2015; 43 (1): 25.

[395] LifeSiteNews, file:///D:/Mis%20Documentos/TEMAS/genero/Transexual/Niños%20 desde%20los%20tres%20años%20de%20edad%20están%20siendo%20sometidos%20a%20cambio%20de%20sexo%20-%20Alianza%20Informativa%20Pr. webarchive (Accedido el 30 de septiembre de 2015).

y quirúrgica en la adolescencia en las cuatro primeras versiones, publicadas en 1979, 1980, 1981 y 1990. Fernández *et al.*, que realizaron una buena revisión del abordaje del tratamiento de menores en los estándares asistenciales, indican que «es a partir de la versión quinta cuando empiezan a ser mencionados los jóvenes como subsidiarios de tratamiento hormonal, estableciendo que sólo en casos excepcionales es recomendable la administración de hormonas a menores de 18 años. La sexta versión establece que los adolescentes pueden ser elegibles para recibir hormonas que demoran la pubertad tan pronto como empiezan los cambios de las mismas, recomendando que se haya llegado hasta el estadio II de Tanner y también pueden ser elegibles para iniciar tratamiento hormonal cruzado a los 16 años. Por lo tanto, el tratamiento médico en adolescentes es bastante reciente y está siendo aplicado en la última década en distintas clínicas especializadas. La séptima y última versión, al igual que el DSM-5, ha sustituido el término *trastorno de identidad de género* por el de *disforia de género* y como la sexta versión, permite realizar intervenciones hormonales en personas con disforia de género a edades tempranas»[396].

Independientemente de las clasificaciones oficiales, el abordaje de los menores con problemas de género se puede dirigir con dos modelos, el *modelo terapéutico* o el *modelo de alojamiento*. En el primero de ellos, el terapéutico, se considera que el menor, y su familia o entorno[397], debe ser tratado por un profesional de salud mental. En el modelo denominado de alojamiento se considera que no hay nada malo en la decisión del menor, todo es debido a que una chica ha nacido en un cuerpo con cerebro de chico o viceversa. De ahí que la medicina no intente resolver el problema de identidad, sino que tendrá que proporcionar los medios adecuados (hormonas, cirugía, apoyo

---

[396]   Fernández M, Guerra P, Díaz M, García-Vega E, Álvarez-Diz JA. Nuevas perspectivas en el tratamiento hormonal de la disforia de género en la adolescencia. Actas Esp Psiquiatr 2015; 43 (1): 26.

[397]   Se contempla a la familia como un factor agravante y estresante: si el niño no quiere jugar con otros niños por considerarlos agresivos y competitivos, habrá que buscar amigos más tranquilos en vez de dejarlos que se desarrollen solo en un entorno femenino, se buscará que los padres asuman sus roles y dejen de presionar o desorientar al menor. Dreger A. Gender identity disorder in childhood: inconclusive advice to parents. Hastings Center Report, 2009; 39 (1): 26.

sicológico, etc.) para *acomodar* al menor en su nuevo género[398]. Según Dreger, en ambos modelos se presentan conflictos de intereses que los están condicionando: en el modelo terapéutico en un sentido y en de alojamiento en el contrario, ejemplo de ello es la influencia de los profesionales sanitarios que se inscriben en cada uno de esos grupos o en la presión que ejercen los grupos activistas transgénero[399].

En los menores se pueden contemplar tres etapas en las intervenciones físicas. Dos de ellas hormonales, la primera reversible, empleando análogos de la hormona liberadora de gonadotropinas (Gn RH) y que tiene como objeto retrasar la pubertad; la segunda parcialmente reversible con testosterona o estrógeno. La última etapa es la quirúrgica y es irreversible. Se ha discutido bastante sobre los efectos que se pueden derivar de la supresión de la pubertad. Según López Moratalla, «el inicio de la pubertad en jóvenes transexuales suele ir acompañado de una mayor disforia y esta angustia clínicamente significativa cede al ir adquiriendo el comportamiento transexual de reasignación de sexo»[400]. En este debate hay un elemento nuevo a considerar, el hecho de que ya hay algunos resultados sobre el seguimiento de algunos menores a los que se ha sometido a la supresión de la pubertad, comprobándose que los efectos negativos son bastante limitados[401]. Este dato sirve para avalar que el citado tratamiento pueda ser una buena opción antes de acceder a procesos más agresivos, drásticos o irreversible. Sin embargo, miembros de servicios de endocrinología de Unidades de Identidad de Género, como Moreno-Pérez y Esteva, mantienen que «es necesario un tratamiento conservador dado que la identidad sexual puede sufrir variaciones inesperadas en esta edad, por lo que no se debe influir de forma directa en el rol de género, ni iniciar tratamiento hormonal en niños prepuberales. La experimentación por parte de los individuos de los primeros cambios en relación a

---

[398] Dreger A. Gender identity disorder in childhood: inconclusive advice to parents. Hastings Center Report, 2009; 39 (1): 26-7.

[399] Dreger A. Gender identity disorder in childhood: inconclusive advice to parents. Hastings Center Report, 2009; 39 (1): 27.

[400] López Moratalla N, Calleja A. Transexualidad: una alteración cerebral que comienza a conocerse. Cuadernos de Bioética, 2016; XXVII: 83.

[401] Cohen-Kettenis PT, Schagen SE, Steensma TD, de Vries AL, Delemarre-van de Waal HA. Puberty supresión in a gender-dysphoric adolescente: a 22-year follow-up. Arch Sex Behav 2011; 40 (4): 843-7.

su pubertad espontánea es trascendental, dado que su forma de interpretar los primeros cambios físicos posee valor diagnóstico»[402].

Otro dato a considerar es el de la maduración del cerebro, algo importante si se considera plausible la teoría biológica del transexualismo mostrada en el epígrafe 4.2.2. Las conexiones cerebrales que forman la arquitectura funcional del cerebro —el conectoma— no ha madurado en niños y éstos requieren «el paso por la pubertad y la adolescencia, dependiente de las hormonas sexuales, para la maduración del cerebro». Con este criterio, «inducirles un comportamiento transexual para que no sufran por el deseo de sentirse de otro sexo es una grave responsabilidad»[403].

En cualquier caso, los estándares asistenciales han ido flexibilizando, en sus distintas versiones, los criterios a la hora de intervenir en menores[404]. De tal forma que se ha pasado de no recomendar ningún tipo de intervención en menores de 18 años a ser contemplada la posibilidad de cualquiera de ellas. En este sentido, en la séptima versión de los estándares se destaca que retrasar o contener las intervenciones médicas en adolescentes pueden tener consecuencias negativas al ocasionar que se pueda prolongar la disforia de género que contribuya al desarrollo de una apariencia que favorezca el abuso y la estigmatización[405]. No obstante, en esa séptima versión de los EA se llama la atención sobre los riesgos de la inhibición de la pubertad. «Informa que la administración temprana de hormonas puede acarrear consecuencias sociales y emocionales negativas en la disforia de género con más probabilidad de la que existiría con un uso más tardío. Esta versión también incorpora los efectos físicos que pueden conllevar

---

[402] Moreno-Pérez O, Esteva de Antonio I. Guías de práctica clínica para la valoración y tratamiento de la transexualidad. Grupo de Identidad y Diferenciación sexual de la SEEN (GIDSEEN) (anexo 1). Endocrinol Nutr 2012; 10. doi: 10.1016/j.endonu. 2012/02/001.

[403] López Moratalla N, Calleja A. Transexualidad: una alteración cerebral que comienza a conocerse. Cuadernos de Bioética, 2016; XXVII: 83.

[404] Este criterio ha tenido su claro reflejo en las legislaciones de los países pasando, en muchos lugares, de ser la mayoría de edad una regla general a quedar como una norma conveniente.

[405] Sobre el proceso de estigmatización se puede consultar: López-Ibor JJ, Ortiz T, López-Ibor MI. Percepción, vivencia e identidad corporal. Actas Españolas de Psiquiatría, 2011; 39 (Supl. 3): 82-3.

en el desarrollo de los huesos y el crecimiento o en insuficiente tejido genital»[406]. Por su parte, el Colegio Americano de Pediatras señala que los «bloqueadores hormonales inducen un estado de enfermedad —la ausencia de pubertad— e inhiben el crecimiento y la fertilidad en un niño que antes era biológicamente sano»[407].

Independientemente de lo señalado en el párrafo anterior, lo bien cierto es que cada vez se están realizando tratamientos más precoces[408]. Fernández y col[409]. realizan una interesante aportación al plantear los argumentos favorables y desfavorables a una intervención temprana. Entre los favorables señalan que «la intervención evitaría que las personas desarrollen problemas psicológicos (depresión, intentos de suicidio, anorexia, etc.) como consecuencia del sufrimiento que supone el desarrollo de sus características físicas, propias de la pubertad y que repercutiría negativamente en su desarrollo social e intelectual». Por otra parte, al evitar el desarrollo puberal pleno, posibilitaría que algunas cirugías sean menos invasivas o incluso, innecesarias». En tercer lugar, este tipo de intervenciones favorecerían el proceso de diagnóstico al permitir «al profesional explorar con más tiempo la identidad de género y el deseo de reasignación de sexo sin las interferencias del desarrollo de las características sexuales secundarias».

Entre los argumentos desfavorables a una intervención temprana en menores cabe citar que es difícil saber si se trata de una auténtica disforia, de una influencia externa de los padres, o de un episodio pasajero en su proceso de identificación sexual. Un trabajo reciente, aunque con una muestra de solo 32 niños, demostró que los resulta-

---

406   Fernández M, Guerra P, Díaz M, García-Vega E, Álvarez-Diz JA. Nuevas perspectivas en el tratamiento hormonal de la disforia de género en la adolescencia. Actas Esp Psiquiatr 2015; 43 (1): 28.

407   American College of Pediatricians. Gender ideology harms children. 21 de marzo de 2016. http://www.acpeds.org/the-college-speaks/position-statements/gender-ideology-harms-children (Accedido el 11 de abril de 2016).

408   Bompiani señala que «probablemente se conseguiría algún resultado si la psicoterapia se realizara en una época extraordinariamente precoz: pero falta experiencia sustancial». Bompiani A. Le norme in materia di rettificazione dell'attribuzione di sesso ed il problema del transessualismo.Medicina e Morale 1982; 22: 238-81.

409   Fernández M, Guerra P, Díaz M, García-Vega E, Álvarez-Diz JA. Nuevas perspectivas en el tratamiento hormonal de la disforia de género en la adolescencia. Actas Esp Psiquiatr 2015; 43 (1): 29.

José López Guzmán

dos de la identificación de la disforia de género en esos menores era bastante ambigua[410]. También hay que considerar que «las investigaciones existentes ponen de manifiesto que la proporción de disforia de género que persiste en la edad adulta es distinta para niños y adolescentes. Las cifras muestran que solamente en una minoría de estos niños se manifestará una transexualidad de mayores[411], "tal vez hasta el 80% no será transgénero en la edad adulta"[412]. Becerra Fernández y col. también coinciden con la anterior afirmación e indican que "una gran mayoría (80-95%) de niños prepuberales que dicen sentirse transexuales no seguirán experimentando lo mismo en la adolescencia". Los citados autores continúan señalando que "diferentes hallazgos han hecho sospechar que en la pubertad se produce no solo el desarrollo de los caracteres sexuales secundarios sino que también se van a formar funciones cognitivas y del comportamiento de los adolescentes. Alterar la aparición y desarrollo fisiológicos de los acontecimientos de esta etapa por conseguir un adelanto del tratamiento hormonal y quirúrgico en transexuales podría repercutir negativamente en esas funciones"»[413]. La mayoría de los niños con disforia de género evolucionan hacia la heterosexualidad, homosexualidad o bisexualidad y sólo una minoría progresa hacia la disforia de género en la edad adulta[414]. Además, «evitar el desarrollo de características sexuales secundarias inhibe la "formación espontánea de

---

[410]   Los resultados del estudio de Olson y col. proporciona evidencia de que, en el desarrollo temprano, los jóvenes transgénero son estadísticamente indistinguible de los niños cisgénero (personas cuya identidad de género y género asignado al nacer son concordantes al comportamiento que a este le fue socialmente asignado) de la misma identidad de género. Olson Kr, Key AC, Eaton NR. Gender cognition in trasgender children. Psychological Science, 2015; 26: 467.

[411]   Moreno-Pérez O, Esteva de Antonio I. Guías de práctica clínica para la valoración y tratamiento de la transexualidad. Grupo de Identidad y Diferenciación sexual de la SEEN (GIDSEEN) (anexo 1). Endocrinol Nutr 2012; 3. doi: 10.1016/j.endonu. 2012/02/001.

[412]   McHugh P. Why we stopped doing sex change operations. http://www.firstthings.com/article/2004/11/surgical-sex (Accedido el 24 de septiembre de 2015).

[413]   Becerra_Fernández A, Lucio-Pérez MJ, Rodríguez-Moline JM, Asenjo-Araque N, Pérez-López G, Frenzi M, Menacho M. Transexualidad y adolescencia. Revista Internacional de Andrología, 2010; 8 (4): 165-71.

[414]   Fernández M, Guerra P, García-Vega E. La 7ª versión de los Estándares Asistenciales de la WPATH. Un enfoque diferente que supera el dimorfismo sexual y de

una identidad de género consistente" y el adolescente se perderá la pubertad natural resultado de sus propias hormonas. El tratamiento hormonal temprano puede forzar a un cambio de identidad de género con precipitación injustificada y tiene un gran impacto en la sexualidad. Dificulta la apropiada experiencia sexual asociada a la edad en el cuerpo biológico de un adolescente, elimina los impulsos eróticos y posiblemente también inhiba el proceso de clarificación respecto al objeto de deseo». McHugh, del Hospital Hopkins, al que ya se ha hecho alusión en varios apartados de este trabajo, señala que el cuidado adecuado significa ayudar al niño en las dificultades sociales y médicas pero manteniendo las gónadas ya que el consentimiento informado sobre cuestiones tan drásticas no pueden descansar sobre decisiones de otros que creen saber mas o mejor[415].

Con las anteriores premisas parece que lo mas adecuado podría ser esperar a tener una plena seguridad de que se está en presencia de un auténtico caso de transexualismo[416]. Por ello, habrá que postergar las intervenciones, como mínimo, a la pubertad. La posibilidad de error de diagnóstico en edades tempranas (que algunos autores identifican hasta el 95%), y la activación de procesos que interfieren drásticamente en el desarrollo sexual del niño y que, en último caso, puede conllevar mutilaciones son factores que justifican que, en adolescentes, haya que ser muy prudentes a la hora de acometer tratamientos o intervenciones de cambio de género. No obstante, en ese espacio de tiempo habrá que administrar la ayuda y acompañamiento necesario a los padres[417] para que sepan ofrecer al hijo lo que de verdad necesita

---

género. Rev Asoc Esp Neuropsiq, 2014; 34(122): 331; Bustos Y. La transexualidad de acuerdo a la Ley 3/2007, de 15 de marzo. Madrid: Dykinson, 2008; 66.

[415] McHugh P. Why we stopped doing sex change operations. http://www.firstthings.com/article/2004/11/surgical-sex (Accedido el 24 de septiembre de 2015).

[416] «Nadie nace con conciencia de sí mismo como hombre o como mujer; esta conciencia se desarrolla con el tiempo y, como todos los procesos de desarrollo, puede desviarse a consecuencia de las percepciones subjetivas del niño, de sus relaciones y de sus experiencias adversas desde la infancia». American College of Pediatricians. Gender ideology harms children. 21 de marzo de 2016. http://www.acpeds.org/the-college-speaks/position-statements/gender-ideology-harms-children (Accedido el 11 de abril de 2016).

[417] En este marco no hay que olvidar el estrés al que se ven sometidos los padres «no es fácil tener un niño que desafía las normas sociales, especialmente en normas

que, en algunos casos, es simplemente un cierto grado de comprensión y tranquilidad. Sin embargo, no parece que sea la postura más aceptada ya que si bien los estándares asistenciales de la WPATH establecen, hasta su 5ª versión, que nunca deberán emplearse terapias hormonales o quirúrgicas en niños. En esa versión no se consideran las intervenciones totalmente irreversibles y se indica textualmente: «existen pocos casos en los que sea recomendable la administración de hormonas a adolescentes menores de 18 años». En cambio, a partir de la 6ª versión (editada en el año 2001) el criterio es que los adolescentes pueden recibir hormonas que demoren su pubertad y que habría que retrasar lo más posible las intervenciones irreversibles y, en todo caso, tras dos años de experiencia de vida real[418]. Esa relajación en los términos también se va plasmando en la normativa. No hay duda de que la legislación es cada vez más flexible o laxa con los tratamientos hormonales suministrados a los adolescentes. Esos procedimientos médicos especiales que solían tener que cumplir unos rígidos requisitos se han ido flexibilizando en la mayoría de los países[419].

Figura 5
Algunas cuestiones que deben ponderarse antes de comenzar un tratamiento de cambio de género en un menor

1. Determinar si es disforia, una influencia externa o un episodio pasajero de identificación sexual

2. Tener en cuenta que una gran proporción de niños/niñas que se piensa pueden ser transexuales se comprueba, en edad adulta, que no lo eran

3. Considerar que si se evita el desarrollo de caracteres sexuales secundarios se ésta interfiriendo sobre la propia identidad de género

4. Tener presente que la intervención quirúrgica conlleva mutilaciones y provoca esterilidad

---

sobre género». Dreger A. Gender identity disorder in childhood: inconclusive advice to parents. Hastings Center Report, 2009; 39 (1): 26.

[418] Fernández M, Guerra P, García-Vega E. La 7ª versión de los Estándares Asistenciales de la WPATH. Un enfoque diferente que supera el dimorfismo sexual y de género. Rev Asoc Esp Neuropsiq, 2014; 34(122): 329-31.

[419] Se puede consultar el caso australiano en: Smith MK, Mathews B. Treatment for gender dysphoria in children: the new legal, ethical and clinical landscape. Med J Aust, 2015, 202 82): 102-4.

Es necesario dejar constancia de que en este campo, del transexualismo y la adolescencia, es muy conveniente que existan unas pautas éticas para evitar cualquier tipo de abuso[420] y, por otra parte, «considerar la actitud de los padres, que podrían influir de forma determinante en los sentimientos del adolescente y en la precipitación del tratamiento»[421]. Un entorno familiar muy rígido e intransigente puede generar en el menor una presión que le lleve a la depresión, ansiedad o suicidio. Por otra parte, un ambiente familiar excesivamente laxo puede dejar al menor sin el necesario acompañamiento en su proceso evolutivo o, incluso, puede llegar a ser una presión al asumir el proceso transexual cuando solo se trata de una duda, un problema de relación con sus amistadas o cualquier otra causa. El amor de los padres, la familia y el entorno, debe estar por encima de los prejuicios o el orgullo[422]. Pero, además de tener en consideración el orgullo o los prejuicios, hay que contemplar a los padres, que tienen duda sobre el género de sus hijo, con el respeto debido a cualquier persona. Así, Ken Zucker, espolea al lector cuando muestra el ejemplo de que un niño negro le dice a sus padres que se siente blanco y que quiere ser de ese color y fisionomía. No es difícil pensar que la mayoría de los padres no pedirían ayuda a los médicos para hacer blanco a su hijo, sino que intentarían que su hijo aprendiera a sentirse cómodo con su cuerpo[423]. Esos prejuicios también puede ser contemplados desde otro ángulo, el de comentarios, consejos o informes que pueden mediatizar al entorno familiar y provocar un desafortunado agobio en un determinado adolescente, sea o no transexual. Por ejemplo, duele leer en un informe (aunque lo que se indique esté basado en referencias bibliográficas[424]) que los padres deben tener especial atención, en re-

[420] Milrod C. How young is too young: ethical concerns in genital surgery of the transgender MTF adolescent. J Sex Med, 2014; 11 (2): 338-46.

[421] Becerra_Fernández A, Lucio-Pérez MJ, Rodríguez-Moline JM, Asenjo-Araque N, Pérez-López G, Frenzi M, Menacho M. Transexualidad y adolescencia. Revista Internacional de Andrología, 2010; 8 (4): 165-71.

[422] El menor puede llegar a no atreverse a dar marcha atrás en un proceso que ha asumido su familia y su entorno. Dreger A. Gender identity disorder in childhood: inconclusive advice to parents. Hastings Center Report, 2009; 39 (1): 28-9.

[423] Cfr. Dreger A. Gender identity disorder in childhood: inconclusive advice to parents. Hastings Center Report, 2009; 39 (1): 28.

[424] Zucker KJ, Wild J, Bradley SJ, Lowry CB. Physical attractiveness of boys with gender identity disorder. Archives of Sexual Behavior, 1993; 22 (1): 23-36 y Fri-

lación con la transexualidad, cuando sus niños son guapos y sus niñas poco agraciadas físicamente.

Por último, me gustaría hacer referencia al hecho del diferente trato que se ha otorgado a los adolescentes intersexo y los transexuales. Es una cuestión llamativa porque se produce un *cambio de papeles* entre los sectores que están a favor y en contra de la intervención quirúrgica en menores. Así, desde sectores que se podrían denominar «no intervencionistas», por estar en desacuerdo con el cambio de género en menores, no se ha discutido sobre el proceso de adecuación de los genitales de los intersexo, corresponda o no a su sexo genético, ni se ha tenido en consideración sus preferencias. De hecho, en algunos países se realiza la practica quirúrgica «sin haberla solicitado y sin consentimiento del paciente» (...) «el dilema ético radica en la obligatoriedad de la reasignación quirúrgica»[425].

En cambio, en grupos proclives al cambio de género en menores se muestran reticencias a la intervención en intersexo en este sector de la población. Por ejemplo, esto queda reflejado en Ley de identidad y expresión de género e igualdad social y no discriminación de la Comunidad de Madrid[426] que, haciendo referencia a las personas intersexuales, establece que «sin conocimiento de la identidad de género sentida por la persona intersexual: hombre, mujer o simplemente intersexual, cualquier intervención quirúrgica que asimile al menor a una identidad puede ser una auténtica castración traumática». En cambio, en referencia a los transexuales dispone que «las personas trans menores de edad tienen derecho a recibir el tratamiento médico oportuno relativo a su transexualidad».

---

dell SR, Zucker KJ, Bradley SJ, Maing DM. Physical attractiveness of girls with gender identity disorder. Archives of Sexual Bahavior, 1996; 25 (1): 17-31.

[425] Rico R. Ética de los estados intersexuales. Institut Borja de Bioètica. http://www.bioetica-debat.org/modules/news/article.php?storyid=714 (2 de marzo de 2016).

[426] Boletín Oficial de la Asamblea de Madrid, número 51, de 21 de marzo de 2016.

9. LA MEDICALIZACIÓN DEL TRANSEXUALISMO

Se suele entender por medicalización (neologismo no recogido en el Diccionario de la Real Academia Española de la Lengua) el proceso consistente en convertir situaciones normales de la vida en cuadros patológicos. El término también remite a la creciente pretensión de resolver, mediante el recurso a la medicina, situaciones que no son estrictamente, o únicamente, médicas, sino de tipo social, antropológico, etc[427].

El término transexualismo es utilizado por primera vez en 1910 y su «significado medicalizado no se aplicó hasta 1949»[428]. Roselló y Cabruja mantienen que «los discursos científicos sobre la salud mental, a menudo transforman las normas sociales en verdades naturales, traduciendo los `desajustes´ en nosología siquiátrica y desequilibrios químico-neuronales»[429]. En este sentido, es fácil de entender que la cirugía, por sí sola, difícilmente soluciona un problema interno del ser humano. De ahí que cabría plantear si un cambio anatómico es suficiente para solucionar el problema existencial que acompaña al transexual[430]. Por otra parte, algunos autores consideran que la inter-

---

[427] López Guzmán J. Deontología Farmacéutica Aplicada. Jaén: Formación Alcalá, 2014; 205-6.

[428] Belsué Guillorme K. Sexo, género y transexualidad: de los desafíos teóricos a las debilidades de la legislación española. Acciones e Investigaciones Sociales 2011; 29: 12.

[429] Roselló M, Cabruja T. Bio-Ciencia-Ficción: la biologización de la identidad en los discursos médicos y clínicos de la transexualidad. Quaderns de Psicologia 2012; 14 (2): 111.

[430] Para Portas *et al.* «la Medicalización de lo sexual significa que la bioética reflexiona sobre aquellos ámbitos de la sexualidad que requieren intervención médica, o en los cuales la sociedad ha decidido regular pero se abstiene de emitir juicios morales sobre actitudes y actividades sexuales» (...) «el proceso de medicalización consistió en reemplazar la opinión moral sobre conductas sexuales, por un diagnóstico de normalidad o alteración, con las consiguientes consecuencias terapéuticas». Portas A, Guerra S, Zapata B, Fornari G. Transexualismo: aspectos éticos, legales y religiosos. Psiquiatría Forense, Sexología y Praxis, 1999; 3 (2): 2.

vención hormonal y quirúrgica de reasignación de género no es tera-péutica sino que se limita a tener un carácter paliativo[431]. En este caso cabe preguntarse si hay una proporcionalidad entre la intervención realizada y el mal que se quiere paliar.

No obstante, es cierto que cada vez es más frecuente la presencia de un estilo de mirar y de sentir en el que los fenómenos sociales se reducen «a problemas localizables en el territorio corporal, en el sistema nervioso y principalmente el cerebro. Bajo esa mirada, el indi-viduo se transforma en sujeto penable y diseccionable, susceptible de tratamiento y optimización»[432].

Con las intervenciones quirúrgicas y los tratamientos hormonales se busca lograr la armonía sique/corporalidad. Con ellas se cambian los caracteres sexuales secundarios y se logra la apariencia de órganos sexuales contrarios a los biológicos. Esto último se realiza mediante amputaciones e implantes. Cabe pensar si estas intervenciones son ponderadas o van a generar nuevos sufrimientos o si, en realidad, van a ser capaces de lograr el objetivo buscado. No hay que olvidar que «la naturaleza humana exige coherencia en los niveles genético y go-nadal, porque el yo está somatizado en un cuerpo que es sexuado[433]». Probablemente, el individuo no se pueda librar de las exigencias del propio cuerpo al no poder superar el sexo biológico.

La lucha de la comunidad transexual por conseguir respeto y que los tratamientos de reasignación estén disponibles, sean seguros y obtengan financiación pública les ha abocado a que su proceso sea identificado como una enfermedad y, por lo tanto, medicalizado[434].

http://www.medicinaforenseperu.org/media/documentos/20100216175836.pdf (Accedido el 21 de enero de 2016).

[431] Mazuelos J. Problemas éticos del transexualismo. Bioética y Ciencias de la Sa-lud, 2000; 3 (4): 1-9. http://www.bioeticacs.org/iceb/seleccion_temas/sexualidad/PROBLEMAS_ETICOS_DEL_TRANSEXUALISMO.pdf (Accedido el 21 de enero de 2016).

[432] Roselló M, Cabruja T. Bioética-ciencia-ficción: la biologización de la identidad en los Discurso Médicos y Clínicos de la Transexualidad. Quaderns de Psicologia 2012f 14 (2): 112.

[433] López Moratalla N. La identidad sexual: personas transexuales y con trastornos del desarrollo gonadal. Cuadernos de Bioética 2012; XXIII: 345.

[434] Hernández M, Rodríguez G, García-Valdecasas J. Género y sexualidad: conside-raciones contemporáneas a partir de una reflexión en torno a la transexualidad y los estados intersexuales. Rev Asoc Esp Neuropsiq 2010; XXX (105): 86.

Algunos autores mantienen que la patologización de la transexualidad ha tenido ventajas como, por ejemplo, permitir a las personas transexuales que su situación dejara de «considerarse como algo pecaminoso y amoral y aumentara la aceptación social. Sirvió también para el reconocimiento de derechos sanitarios, evitar autotratamientos y para posibilitar la investigación, educación y comunicación entre los profesionales de todos los países desde un punto de vista médico-clínico»[435]. En este sentido, la creación de unidades para tratar la disforia de género ha favorecido la disminución de la autohormonación[436]. No obstante, otros autores señalan que la patologización del transexualismo ha sido perjudicial por no estar dirigido a la ayuda del afectado sino por responder a ocultos o espurios intereses. Así, por ejemplo, se ha llegado a mantener que «mediante la patologización se pretende el control de la amenaza y la salvaguarda del sistema heteropatriarcal»[437].

En el campo de la medicalización habrá que ponderar aquellos factores que pueden incidir a que el cambio de género no sea satisfactorio. Por ejemplo, los transexuales tardíos y que, además, son homosexuales serían «las personas a valorar exhaustivamente por la posibilidad de peor pronóstico tras la cirugía de reasignación de sexo»[438]. De ahí que, en principio, la intervención sobre estos sujetos se pueda considerar medicalización en el sentido señalado al comienzo de este párrafo. Otra cuestión a considerar es la verdadera necesidad de recurrir al proceso de reasignación, así, por ejemplo, Fernández y col. indican que «la cirugía facial y corporal debería realizarse solamente en aquellos casos concretos donde el aspecto del paciente transexual afecta de forma importante a su adaptación en el nuevo rol»[439].

---

[435]   Polo C, Olivares D. Consideraciones en torno a la propuesta de despatologización de la transexualidad. Rev Asoc Esp Neuropsiq 2011; 31 (110): 298.

[436]   Fernández M, Guerra P, Díaz M, García-Vega E, Álvarez-Diz JA. Nuevas perspectivas en el tratamiento hormonal de la disforia de género en la adolescencia. Actas Esp Psiquiatr 2015; 43 (1): 25.

[437]   Belsué Guillorme K. Sexo, género y transexualidad: de los desafíos teóricos a las debilidades de la legislación española. Acciones e Investigaciones Sociales 2011; 29: 12.

[438]   Fernández M, García-Vega E. Variables clínicas en el trastorno de identidad de género. Psicothema 2012; 24 (4): 558.

[439]   Fernández M, García-Vega E. Variables clínicas en el trastorno de identidad de género. Psicothema 2012; 24 (4): 559.

En conclusión, y en sintonía con lo señalado en los párrafos anteriores, en el ámbito de la medicalización de la transexualidad se puede evaluar desde tres prismas: considerar que una cuestión personal (el transexual contemplado como diferente de lo que se estima normal o usual) es una patología médica[440]; crear unas necesidades o modelos ideales en una serie de sujetos (por ejemplo, presentarle que la intervención quirúrgica es un cambio de sexo)[441]; ofrecer medicación o intervenciones quirúrgicas desmesuradas o a partir de un mal diagnóstico debido a intereses comerciales, profesionales e ideológicos[442] y que abocan al sujeto a un proceso doloroso y no satisfactorio.

Desde algunos sectores se contempla el proceso de Medicalización de la transexualidad como «instrumento de sometimiento y sumisión de los cuerpos de los intersexuales y de los transexuales a la ideología cultural»[443].

---

[440] López Guzmán J. Deontología Farmacéutica Aplicada. Jaén: Formación Alcalá, 2014; 211-3.

[441] López Guzmán J. Deontología Farmacéutica Aplicada. Jaén: Formación Alcalá, 2014; 214-5.

[442] Polo C, Olivares D. Consideraciones en torno a la propuesta de despatologización de la transexualidad. Rev Asoc Esp Neuropsiq 2011; 31 (110): 293.

[443] Balza I. Bioética de los cuerpos sexuados: transexualidad, intersexualidad y transgenerismo. Revista de Filosofía Moral y Política, 2009; 40: 246.

10. A MODO DE EPÍLOGO

Me gustaría empezar por el único hecho que, después de realizar una amplia revisión sobre salud y transexualismo, me queda nítido. No es otro que el gran sufrimiento de aquellos que se consideran de un sexo distinto al que representan sus órganos sexuales.

De esta premisa he extraído una segunda convicción, la certidumbre de que a los transexuales no se les pueden abandonar a su suerte. Tanto la sociedad en general como los agentes sanitarios, con competencia en la cuestión, tienen que ayudar a mitigar, paliar y superar el dolor generado por su particular situación de desequilibrio entre el sexo de su cerebro y el que manifiestan sus órganos sexuales[444].

Pero para ayudar a alguien se requiere conocer qué es lo que genera el problema que suscita el especial estado de vulnerabilidad. En nuestro caso la cuestión principal es el desequilibrio entre lo que son sexualmente y lo que sienten que son. Jiménez nos suministra un testimonio que proporciona un ejemplo de ello: «sé que nací como una mujer, sé que mi cuerpo es de una mujer, pero yo no me siento así»[445]. Pues bien, si en el transexual hay un desequilibrio entre la sexualidad biológica y síquica habrá que intentar *romper* esa perturbación. Y aquí comienzan las incertidumbres. El abordaje de la cuestión será distinto si se estima que se está ante una situación provocada por el entorno social, por un gen, por una hormona o por varios de esos factores actuando conjuntamente. Se ha señalado, en el apartado correspondiente, que hay diversas teorías sobre las causas del transexualismo y también distintos criterios de clasificación. Como es fácil

---

[444] Hurtado *et al*. Mantienen que es necesario un análisis sobre si existe una «psicopatología consustancial al propio trastorno de identidad de género o, si más bien, se trata de una reacción emocional a las circunstancias sociales adversas, a la falta de un abordaje sanitario multidisciplinar y la exclusión de la cartera de servicios del sistema nacional de salud». Hurtado F, Gómez M, Donat F. Transexualismo y salud mental. Revista de Psicopatología y Psicología Clínica, 2007; 1: 44.

[445] Jiménez C, Rodríguez M, Motilla K, Mascareñas J. La evaluación multidisciplinaria en disforia de género: reporte de caso y revisión de la literatura. Biomedicina 2015; 1 (1): 4. http://www.imed.pub/ojs/index.php/biomed/article/view/1337/1030 (Accedido el 7 de enero de 2016).

de suponer, el escenario será muy diferente si se estima que existe un problema orgánico o funcional, que es capaz de determinar al sujeto, a si la cuestión queda reducida a los aspectos ambientales que han condicionado el desarrollo del mismo. Esto adquiere una mayor relevancia en el caso de menores.

Este es el punto álgido de la reflexión ya que es a partir del cual hay que adoptar una vía de actuación u otra: ayuda sicológica, sicológica y hormonas, o sicológica con hormonas y cirugía. No obstante, ya se ha apuntado que, desde ciertos sectores, se indica que los transexuales, en realidad, no necesitan ayuda debido a que el problema está en la sociedad y es ésta la que tiene que cambiar. No voy a entrar en ello porque excede las posibilidades de este trabajo, pero lo bien cierto es que aunque la sociedad tuviera que cambiar no lo podría hacer instantáneamente y, por lo tanto, en ese lento trayecto no se puede abandonar al transexual a su suerte. Tampoco se pueden quedar desatendidos, sin pautas ni criterios, los agentes implicados en la ayuda al transexual como son los agentes sanitarios, jueces, políticos, etc. que requieren de criterios en la toma de decisiones. Por otra parte, me parece insubsistente pensar que la aversión de un sujeto a su pene se puede solucionar simplemente con un cambio social.

En este marco también hay que tener en consideración la libertad de los demás, no confundiendo la no aceptación de ciertas conductas con transfobias u odio a ciertos sujetos. Por ejemplo, no desear tener relaciones sexuales con un transexual no es una transfobia sino que es, simplemente, ser fiel a una determinada orientación sexual que no contempla esta posibilidad. Tampoco es transfobia considerar que no es apropiado que las arcas públicas financien una operación *cosmética* como sería una reasignación de género si se estima que no hay una patología detrás, sería un problema de justicia o equidad (que se podrá estar o no de acuerdo con el) pero no de transfobia. En este sentido, y aunque pueda parecer un contrasentido, considero que el enfrentamiento generado por algunos lobbys están en el foco de la falta de normalización de la situación de muchas personas transexuales.

Vuelvo al proceso de intervención en el transexual. Desde los trabajos de Benjamín se ha asentado como idea básica que la intervención psicoterápica no es adecuada y que, por lo tanto, hay que recurrir a otras vías, como la propiciada por las hormonas y/o la cirugía. A lo largo del trabajo esta idea se ha avalado con distintos testimonios, tanto en sintonía con lo indicado por Benjamín[446] en contra de la eficacia de la sicoterapia como lo mantenido por otros autores en sentido contrario[447]. No obstante, pienso que es un ámbito que debe ser mejor contrastado con investigaciones que muestren una evidencia y que sean capaces de solventar las discrepancias de criterios de distintos autores que, en todo momento, han progresado en desigual convivencia. En este sentido es habitual que los transexuales tengan una percepción bastante subjetiva de su entorno, algo que se desprende de muchos de sus testimonios. Por ejemplo, un transexual expresa uno de esos sentimientos de la siguiente forma: «me siento observada todo el tiempo, aunque se que no hay nadie ahí»[448]. También hay que volver a recordar la plasticidad del cerebro, hay muchas investigaciones que ponen en evidencia este hecho, sus estructuras se pueden ver modificadas tanto por la influencia hormonal, como por el comportamiento asumido, como por la influencia ambiental[449].

No se puede continuar si hacer alusión a una cuestión que se está asumiendo de forma bastante acrítica. Me refiero al hecho de considerar que la intervención sicológica sobre el transexual puede ser un factor de discriminación o que puede llegar a atacar la autonomía del sujeto. Actualmente, parece que cualquier actuación sobre la siquis de la persona transexual es un ataque a su libertad. Este planteamiento es erróneo ya que actuar no es equivalente a imponer, que si sería

---

[446] Benjamín H. The Transexual Phenomenon. Nueva York: The Julian Press, 1996; 12.

[447] Se ha hecho alusión a los criterios actuales del Hospital Hopkins. En este mismo sentido, Camps mantiene que «la terapia psicologico-psiquiátrica es la que se presenta como alternativa a la quirúrgica. Esta terapía intentará reconducir y fortalecer la identidad sexual de acuerdo con el sexo biológico que posee la persona» (...) A favor de este tratamiento señala que «la cirugía, a pesar de su agresividad, no ha demostrado su éxito». Camps M. Identidad sexual y Derecho. Estudio interdisciplinario del transexualismo. Pamplona: Eunsa, 2007; 187.

[448] Jiménez C, Rodríguez M, Motilla K, Mascareñas J. La evaluación multidisciplinaria en disforia de género: reporte de caso y revisión de la literatura. Biomedicina 2015; 1 (1): 4. http://www.imed.pub/ojs/index.php/biomed/article/view/1337/1030 (Accedido el 7 de enero de 2016).

[449] McEwen BS. Commentary permanence of brain sex differences and structural plasticity of the adult brain. Proceedings of the National Academy of Science of USA, 1999; 96: 7128-30.

un acto coactivo, o a «lavar» el cerebro como mantienen muchos colectivos LGTB. Como bien indican Salvaggi y Giordano «ofrecer o solicitar asistencia sicológica no es una forma de discriminación o un ataque a la autonomía del paciente», por el contrario con ello «se podría mejorar la atención de los pacientes transexuales y, por lo tanto, a lo sumo podría representar una forma de discriminación positiva» constituyendo «una forma de cuidado responsable y no una discriminación injusta»[450].

En el escenario en el que se acepta que el proceso hormonal y/o quirúrgico puede ser conveniente se abren dos nuevas posibilidades[451]. Una es la clásica de considerar que «la solución» es la reasignación de género y que, por lo tanto, a todo el que la demande hay que otorgársela. La segunda vía, que cada vez va adquiriendo más adeptos, es la de mantener que la reasignación puede ser beneficiosa pero no en todos los casos. Por lo tanto, habrá que realizar una ponderación, caso por caso, y solo en aquellos que no se pueda considerar ninguna otra opción se optaría por la reasignación, que es la vía más drástica, irreversible y que, además, conlleva numerosos efectos secundarios. En este sentido, el estudio de Fernández y García-Vega[452], del año 2012, pone de manifiesto que la intervención quirúrgica no tiene por qué ser el objetivo de toda persona transexual. Según las citadas autoras, «la cirugía de reasignación de sexo debe presentarse como una opción más dentro de los posibles desarrollos de la identidad de género» (…) «La cirugía facial y corporal debería realizarse solamente en aquellos casos concretos donde el aspecto del paciente transexual afecta de forma importante a su adaptación en su nuevo rol, y donde

---

450 Selvaggi G, Giordano S. The role of mental Elath professionals in gender reassignment surgeries: unjust discrimination or responsable care? Aesthetic Plast Surg, 2014; 38 (6): 1177-83.

451 En este caso, también hay quien cuestiona que este proceso resuelva el problema. Así, por ejemplo, Heyer (un transexual HM que después de unos años quiso recuperar su estado inicial de varón) mantiene que, en su caso, la cirugía solo enmascaró y exacerbó los problemas sicológicos más profundos. Heyer W. «Sex change» surgery: what Bruce Jenner, Diane Sawyer, and you should know. Public Discourse, 27 de abril de 2015. http:www.thepublicdiscourse.com/2015/04/14905 (Accedido el 27 de enero de 2016).

452 Fernández M, García-Vega E. Variables clínicas en el trastorno de identidad de género. Psicothema 2012; 4 (24): 555-60.

los cambios no quirúrgicos, como el maquillaje, no son suficientes para mejorar la imagen que tiene la persona transexual de sí misma». Desafortunadamente la promoción generalizada de la cirugía de reasignación de género ha hecho que disminuya la investigación en otras alternativas[453].

Los criterios de intervención (generalizada o individualizada) están encontrando un rival que se va abriendo paso, de forma lenta pero firme. Me refiero al criterio mantenido por aquellos que consideran que la reasignación quirúrgica de género tiene más inconvenientes que beneficios. Cada vez son mas numerosas las manifestaciones apoyando la idea de que la reasignación de género no soluciona el problema debido a que, después de la cirugía, muchos transexuales se ven abocados a la marginalidad (es conveniente recordar que los pocos transexuales que ocupan portadas de revistas no son representativos de la situación) y a otras realidades tan dramáticas como el suicidio (tampoco hay que olvidar que la tasa de intentos de suicidio entre la población transexual es del 41%, un dato avalado por estudios como se ha mostrado en otro apartado de este trabajo y que, por otra parte, ha trascendido a la opinión pública[454]). Respaldado el criterio contrario a la reasignación se puede volver a hacer alusión a la postura del Hospital John Hopkins. López Moratalla, realizando una ponderación del asunto, afirma que tras los cambios anatómicos los transexuales pueden gozar de un alivio en la angustia sicosocial pero que ello «no resuelve el problema porque no se trata la alteración cerebral»[455].

Por su parte, Millot mantiene que los transexuales son víctimas de un error en lo que respecta a la ilusión generada por la cirugía[456].

---

[453] Fitzgibbons RP. The desire for a sex change: clinical observations and advice. Ethics & Medics, 2005; 30 (10): 1-2.

[454] Alpert E. Transgender study looks at "exceptionally high" suicide-attempt rate. Los Angeles Times, 28 de enero de 2014. file:///D:/Mis%20Documentos/TEMAS/genero/Salud%20y%20Género/LA%20Times%20-%20Transgender%20study%20looks%20at%20'exceptionally%20high'%20suicide-attempt%20rate.webarchive (Accedido el 16 de diciembre de 2015).

[455] López Moratalla N, Calleja A. Transexualidad: una alteración cerebral que comienza a conocerse. Cuadernos de Bioética, 2016; XXVII: 83.

[456] «Son los hechos, y no la ideología, quienes determinan la realidad». American College of Pediatricians. Gender ideology harms children. 21 de marzo de 2016.

En interesante leer el testimonio textual de este autor: «un día vino a verme una joven transexual creyendo erróneamente que yo le daría la dirección de un cirujano que practicara las operaciones de cambio de sexo. La insté a que me dijera por que tenía tanto empeño en hacerse operar. Me respondió que al tener la apariencia de una mujer mientras se sentía hombre, tenia la impresión de vivir mintiendo. Le objeté que si se hacía operar no haría más que cambiar una mentira por otra. En su exigencia de verdad, los transexuales son victimas de un error, decía Lacan. Confunden el órgano y el significante. Su pasión, su locura, consiste en creer que librándose del órgano se libran del significante que los divide»[457]. Si estas premisas son asumibles en adultos aún lo son más en menores debido a la inseguridad que genera datos tan llamativos como el de que un 80% de los niños que se cuestionan como posibles transexuales no lleguen a serlo en la edad adulta. Sin duda, es un riesgo desproporcionado someter a un menor a un proceso irreversible, con numerosas complicaciones físicas y síquicas, cuando hay una incertidumbre sobre el mismo hecho de ser transexual.

En conclusión, nos encontramos con unas personas que sufren un estado de contradicción entre el ser y el sentirse hombre o mujer. Este proceso de discordancia les lleva a sufrir estados de depresión, ansiedad, fobias, etc., unas patologías que surgen porque es difícil ir contra la naturaleza biológica o porque la sociedad no está preparada para ofrecer un marco adecuado para la integración y el desarrollo de las personas transexuales[458]. En relación con lo último que se ha señalado, hay que llamar la atención sobre la importancia del entorno para el transexual (operado o sin operar) ya que éste puede ser un obstáculo que le obligue a vivir una vida de más insatisfacción o que, inclu-

---

http://www.acpeds.org/the-college-speaks/position-statements/gender-ideology-harms-children (Accedido el 11 de abril de 2016).

[457]   Millot C. Exsexo. Buenos Aires: Catálogos Paradiso, 1984.

[458]   La discriminación y prejuicios contra las personas transexuales se manifiesta en cuestiones tales como «las dificultades para conseguir trabajo, tanto derivada de una interrupción temprana de la escolarización como por el rechazo que sufren, sobre todo los transexuales hombre a mujer» (…), en el aislamiento social debido a «disponer de una red de apoyo social muy precaria derivada de la estigmatización que sufren, al tener un autoconcepto poco reforzado socialmente». Hurtado F, Gómez M, Donat F. Transexualismo y salud mental. Revista de Psicopatología y Psicología Clínica, 2007; 1: 54.

so, le pueda relegar a la marginalidad[459]. No hay que olvidar que los transexuales son una población altamente vulnerable que requiere de ayuda, una ayuda o comprensión que puede no recibir ni de su propia familia[460]. En este sentido, se ha evidenciado que aquellos transexuales que, en su proceso de adaptación al nuevo género, son apoyados por sus madres son menos vulnerables. En cambio, esa vulnerabilidad se incrementa cuando los padres reaccionan de forma culpabilizadora[461].

En este punto hay que hacer alusión a las teorías que mantienen que toda la problemática en torno al transexual es algo ficticio fruto de «un discurso científico y médico del tratamiento, la cura y, por tanto, también de la enfermedad y el padecimiento»[462]. Ideas que presentan al transexual como si fuera un enfermo mental motiva que la sociedad los contemple como un problema o un error. Con estas premisas, Missé llega a la conclusión de que el problema no es el transexualismo, el problema es la transfobia. Los datos aportados en las páginas anteriores de este libro avalan que se pueda señalar que la anterior afirmación es algo simplista y elude abordar la cuestión de raíz, asignado o culpabilizando a la sociedad de una cuestión concreta que no deja de ser manifestación de una realidad. En este sentido, se puede señalar que no es la sociedad la que hace sentirse distinto al transexual, hay algo en su interior que le hace sentirse en discrepancia; no es la sociedad la que le obliga a tomar hormonas o a someterse a una agresiva cirugía; no es la sociedad la que está ansiosa de destinar sus fondos públicos a los procesos de reasignación de género; etc. Por otra parte, tampoco es

---

[459] Hurtado *et al.* llaman la atención sobre el hecho de que la falta de aceptación social conduce en muchos casos, principalmente a transexuales HM, «a la realización de trabajos marginales, ilegales o peligrosos como la prostitución y la realización de conductas de riesgo,..., que condicionan seriamente su salud física y mental». Hurtado F, Gómez M, Donat F. Transexualismo y salud mental. Revista de Psicopatología y Psicología Clínica, 2007; 1: 54.

[460] Jiménez C, Rodríguez M, Motilla K, Mascareñas J. La evaluación multidisciplinaria en disforia de género: reporte de caso y revisión de la literatura. Biomedicina 2015; 1 (1): 5.
http://www.imed.pub/ojs/index.php/biomed/article/view/1337/1030 (Accedido el 7 de enero de 2016).

[461] Hurtado F, Gómez M, Donat F. Transexualismo y salud mental. Revista de Psicopatología y Psicología Clínica, 2007; 1: 54.

[462] Missé M. Transsexualitats. Altres mirades posibles. Barcelona: Editorial UOC, 2013; 94.

una construcción ficticia la que demuestra que un 40% de la población transexual ha intentado suicidarse. En definitiva, el transexual tiene un problema que le genera un sufrimiento y que debe ser abordado. Considero que desviar la atención del núcleo de la cuestión es no mirar la realidad de frente ahondando, sin embargo, en aquellas situaciones que pueden seguir discriminando a los transexuales.

Volvemos a recordar que cada caso es distinto y no puede ser abordado con la misma estrategia. Habrá transexuales que no requerirán de ninguna transformación, otros solo hormonas o cirugía y, por último, otros que demandaran todas las intervenciones posibles. La idea que debe primar cualquier estrategia debe ser la de buscar lo mas adecuado y, en la medida de lo posible, lo menos agresivo[463]. Eso si, teniendo siempre en consideración que esa variadas intervenciones tienen distinta relevancia ética (para el propio transexual o para todos aquellos que tendrán que intervenir en el proceso, desde el médico que efectúa el tratamiento hasta el padre de un menor que tendría que otorgar su consentimiento). En este esquema tiene una gran importancia la agresividad del proceso, siendo menos agresivo ordenar lo síquico a lo biológico que lo biológico a lo síquico[464].

En conclusión, lo que busca todo ser humano es la felicidad y aquí se plantea la interrogante de si para el transexual es indiferente, o no, la relación entre aquello que le ha sido dado y aquello que decide ser con cada acto de libertad para alcanzar ese fin. Camps plantea una cuestión básica, por fundamental y por estar en la base de la reflexión sobre el transexualismo, y es si el hombre puede actuar negando todo significado a la realidad que le ha sido dada, «¿Cuál es la relación que existe entre la naturaleza y la libertad del hombre según una visión integral de la realidad?» (...) «¿Cómo se relacionan la naturaleza, la libertad y la cultura?»[465]. Las respuesta a estas interrogantes depen-

---

[463] Jiménez C, Rodríguez M, Motilla K, Mascareñas J. La evaluación multidisciplinaria en disforia de género: reporte de caso y revisión de la literatura. Biomedicina 2015; 1 (1): 7.
       http://www.imed.pub/ojs/index.php/biomed/article/view/1337/1030   (Accedido el 7 de enero de 2016).
[464] Caffara C. Il transexualismo: aspetti etici. Medicina e Morale, 1985; 4: 717.
[465] Camps M. Identidad sexual y Derecho. Estudio interdisciplinario del transexualismo. Pamplona: Eunsa, 2007; 225-6.

derá de la distinta concepción de la naturaleza, libertad y dignidad humana. La respuesta a esas preguntas, en el caso del transexualismo, dependerá de la naturaleza, libertad y dignidad humana y de lo que se considere que es el propio transexualismo.

12. BIBLIOGRAFÍA GENERAL

Alexander GM, Hines M. Sex differences in response to children's toys in nonhuman primates (Cercopithecus aethiops sabaeus). Evolution & Human Behavior, 2002; 23 (6): 467-9.

Alpert E. Transgender study looks at «exceptionally high» suicide-attempt rate. Los Angeles Times, 28 de enero de 2014. file:///D:/Mis%20Documentos/TEMAS/genero/Salud%20y%20Género/LA%20Times%20%20Transgender%20study%20looks%20at%20'exceptionally%20high'%20suicide-attempt%20rate.webarchive (Accedido el 16 de diciembre de 2015).

American College of Pediatricians. Gender ideology harms children. 21 de marzo de 2016. http://www.acpeds.org/the-college-speaks/position-statements/gender-ideology-harms-children (Accedido el 11 de abril de 2016).

American Psychiatric Association. Desk Reference to the Diagnostic Criteria from DSM-5. Arlintong: American Psychiatric Association, 2013.

Aparisi Miralles A (Coord.). Persona y Género. Cizur Menor: Aranzadi, 2011.

Aparisi Miralles A. Discursos de género y Bioética. Cuadernos de Bioética, 2014; 25 (84): 259-71.

Aparisi Miralles A. Del igualitarismo y el postfeminismo de género, al modelo de la igualdad en la diferencia. Rivista Education Sciences and Society, 2015; 37-49.

Arcelus J, Bouman WP, Van Den Noortgate, Claes L, Witcomb G. Systematic review and meta-analysis of prevalence Studies in transsexualism. European Psychiatry, 2015; 30: 807-15.

Arribas C. Transexuales, deporte y testosterona. El País, 8 de febrero de 2016. http://deportes.elpais.com/deportes/2016/02/07/actualidad/1454877260_256920.html (Accedido el 17 de febrero de 2016).

Balthasar HU. Le persone nel dramma (Vol. II). Milán: Jaca Book, 1982.

Balza I. Bioética de los cuerpos sexuados: transexualidad, intersexualidad y transgenerismo. Revista de Filosofía Moral y Política, 2009; 40: 245-58.

Beauchamp TL, Childress JF. Principios de Ética Biomédica. Barcelona: Masson, 1999.

Becerra A, Lucio MJ, Llopis JL. Tratamiento hormonal de reasignación de sexo en España: nuestra experiencia en 236 casos. Revista Internacional de Andrología, 2007; 5 (3): 212-7.

Becerra-Fernández A, Lucio-Pérez MJ, Rodríguez-Moline JM, Asenjo-Araque N, Pérez-López G, Frenzi M, Menacho M. Transexualidad y adolescencia. Revista Internacional de Andrología, 2010; 8 (4): 165-71.

Belsué Guillorme K. Sexo, género y transexualidad: de los desafíos teóricos a las debilidades de la legislación española. Acciones e Investigaciones Sociales 2011; 29: 7-32.

Benedicto XVI. Discurso a la Curia Romana con motivo de las felicitaciones navideñas, 21 de diciembre de 2012.

Benjamín H. Transvestism and transsesualism. International Journal of Sexology, 1953; 7: 12-14.

Benjamín H. The Transexual Phenomenon. Nueva York: The Julian Press, 1996.
- http://www.mut23.de/texte/Harry%20Benjamin%20%20The%20Transsexual%20Phenomenon.pdf (Accedido el 20 de diciembre de 2015).

Biblioteca Nacional de Medicina del NIH. Klinefelter syndrome. http://ghr.nlm.nih.gov/condition/klinefelter-syndrome (Accedido el 12 de febrero de 2016).

Blázquez N. Bioética Fundamental. Madrid: Biblioteca de Autores Cristianos, 1996.

Bompiani A. Le norme in materia di rettificazione dell'attribuzione di sesso ed il problema del transessualismo.Medicina e Morale 1982; 22: 238-81.

Botella Llusiá J. Endocrinología de la mujer. Barcelona: Científico-Médica, 1982.

Breedlove M. Sexual differentiation of the human nervous system. Annual Review of Psychology 1994; 5: 389-418.

Brown M. Sex change regret. Townhall, 21 de junio de 2014. http://townhall.com/columnists/michaelbrown/2014/06/21/sex-change-regret-n1853404 (Accedido el 16 de mayo de 2016).

Burgos J M. Antropología: una guía para la existencia. Madrid: Palabra, 2009.

Burgos JM. Dos formas de afrontar la identidad sexual: personalismo e ideología de género. En: Aparisi A. Persona y Género. Cizur Menor: Aranzadi, 2011; 405-21.

Bustos Y. La transexualidad de acuerdo a la Ley 3/2007, de 15 de marzo. Madrid: Dykinson, 2008.

Butler J. El género en disputa. Barcelona: Paidós, 2007.

Caffara C. Il transexualismo: aspetti etici. Medicina e Morale, 1985; 4: 717-23.

Camps M. Identidad sexual y Derecho. Estudio interdisciplinario del transexualismo. Pamplona: Eunsa, 2007.

Carrillo S. Estados intersexuales: genitales ambiguos. Medisur, 2005; 3 (5): 54-8.

Caudwell DO. Psychopathia transexualis. Sexology, 1949; 16: 274-80.

Chiland C. Homosexualité et transsexualisme. Adolescence, 1989; 7 (1):133-46.

Ciccone L. Bioética. Historia, principios, cuestiones. Madrid: Palabra, 2005.

Cleminson R, Medina R. ¿Mujer u hombre? Hermafroditismo, tecnologías médicas e identificación del sexo en España, 1860-1925. Dynamis Acta Hisp. Med. Sci. Hist. Illus., 2004; 24: 53-91.

Clínica Universidad de Navarra. Diccionario Médico. http://www.cun.es/diccionario-medico/terminos/disgenesia-gonadal-mixta (Accedido el 12 de febrero de 2016).

Cohen-Kettenis PT, Gooren LJ. Transsexualism: a review of etiology, diagnosis and treatment. J Psychosom Res. 1999; 46: 315-33.

Cohen-Kettenis PT, Schagen SE, Steensma TD, de Vries AL, Delemarre-van de Waal HA. Puberty supresión in a gender-dysphoric adolescente: a 22-year follow-up. Arch Sex Behav 2011; 40 (4): 843-7.

Colapinto J. As nature made him. The boy who was raised as a girl. New York: HarperCollins books, 2001.

Conferencia Episcopal Española. La verdad del amor humano. Orientaciones sobre el amor conyugal, la ideología de género y la legislación familiar. http://www.conferenciaepiscopal.es/la-verdad-del-amor-humano-orientaciones-sobre-el-amor-conyugal-la-ideologia-de-genero-y-la-legislacion-familiar/(Accedido el 25 de septiembre de 2015).

Consortium on the management of disorders of sex development. Clinical Guidelines for the Management of Disorders of Sex Development in Childhood. Intersex Society of North America, 2006.

Cozzoli M. Il problema ético del transexualismo. Medicina e Morale, 1986; 4: 806-13.

Cueto M, de Diego E, López M, Miranda P. Disgenesia gonadal parcial XY. Diagnóstico en edad adulta. Progresos de Obstetricia y Ginecología, 2011; 54 (11): 596-600.

Davis S, Berlinger N. Moral progress in the public safety net: access for transcender and LGB patients. The Hastings Center Report, 2014; 44: s45-7.

De Cuypere G, Van Hemelrijck M, Michel A, Carael B, Heylens G. et al. Prevalence and demography of transsexualism in Belgium. Eur Psychiatry, 2007; 22 (3): 137-141.

De Domingo M, López Guzmán J. La estigmatización social de la obesidad. Cuadernos de Bioética, 2014; XXV: 273-84.

De Juan Herrero J, Pérez Cañaveras R. Sexo, género y biología. Feminismo/s, 2007; 10: 163-85.

De Laurentis T. Technologies of gender. Bloomington: Indiana University Press, 1987.

Department of Gender Studies. Hermaphrodites with attitude. Indiana University Bloomington.https://transgenderglobe.wordpress.com/2010/10/12/hermaphrodites-with-attitude/(Accedido el 21 de marzo de 2016).

Dessens AB, Cohen-Kettenis PT, Mellenbergh GJ et al. Prenatal exposure to anticonvulsants and psychosexual development. Arc Sex Behav, 1999; 28 (1): 31-44.

Di Pietro ML. Modificazione e rettificazione del sesso: análisis degli aspetti Medici. En: Zaggia C. Progresso biomedico e diritto matrimoniale canónico. Padua: Cedam, 1992.

Domínguez JM, García Leiva P, Hombrados MI. Transexualidad en España. Análisis de la realidad social y factores psicosociales asociados. www.felgtb.org/rs/722/...54ec.../ransexualidad-en-espana.doc (Accedido el 25 de noviembre de 2015).

Dhejne C, LichtensteinP, Boman M, Johansson AL, Långström N, Landén M. Long-Term Follow-Up of Transsexual Persons Undergoing Sex Reassignment Surgery: Cohort Study in Sweden. PLos One, 22 febrero de 2011. http://dx.doi.org/10.1371/journal.pone.0016885 (Accedido el 13 de abril de 2016)

Dreger A. Gender identity disorder in childhood: inconclusive advice to parents. Hastings Center Report, 2009; 39 (1): 26-9.

Duer Mk, Hellger R, Briken P, Stalla GK, T'Sjoen G, Fuss J. Serum brain-derived neurotrophic factor (BDNF) is not regulated by testosterone in transmen. Biol

Sex Differ, 2016; 7: 1. doi: 10.1186/s13293-015-0055-5. eCollection 2016 (Accedido el 3 de marzo de 2016).

Elósegui M. La transexualidad. Jurisprudencia y argumentación jurídica. Granada: Comares, 1999.

Fausto-Sterling A. Cuerpos sexuados. La política de género y la construcción de la sexualidad, 15. http://www.melusina.com/res_gene/cuerpos_sexuados.pdf (Accedido el 16 de marzo de 2015).

Feinberg L. Transgender liberation: a movement whose time has come. En: Stryker S, Whittle S. The trasgender studies reader. New York: Taylor&Francis Group, 2006; 205-20.

Fernández. M, García-Vega E. Surgimiento, evolución y dificultades de diagnóstico de transexualismo. Rev Asoc Esp Neuropsiq, 2012; 32(113): 110-119.

Fernández M, García-Vega E. Variables clínicas en el trastorno de identidad de género. Psicothema 2012; 4 (24): 555-60.

Fernández M, Guerra P, García-Vega E. La 7ª versión de los Estándares Asistenciales de la WPATH. Un enfoque diferente que supera el dimorfismo sexual y de género. Rev Asoc Esp Neuropsiq, 2014; 34(122): 317-35.

Fernández M, Guerra P, Díaz M, García-Vega E, Álvarez-Diz JA. Nuevas perspectivas en el tratamiento hormonal de la disforia de género en la adolescencia. Actas Esp Psiquiatr 2015; 43 (1): 24-31.

Fisk NM. Gender dysphoria syndrome: the conceptualization that liberalizes indications for total gender reorientation and implies a broadly based multidimensional rehabilitative regimen. West J Med 1974; 120: 386-91.

Fitzgibbons RP, Philip MD, Sutton M, O'Leary D. The Psychopathology of «Sex Reassignment». Surgery Assessing Its Medical, Psychological, and Ethical Appropriateness. The National Catholic Bioethics Center, 2009; spring: 98.

Fitzgibbons RP. The desire for a sex change: clinical observations and advice. Ethics & Medics 2005; 30 (10): 1-2.

Fridell SR, Zucker KJ, Bradley SJ, Maing DM. Physical attractiveness of girls with gender identity disorder. Archives of Sexual Bahavior, 1996; 25 (1): 17-31.

Fuentes JA. Desviaciones de la sexualidad. Parafilias y transexualismo en las causas de nulidad matrimonial canónica. Ius Canonicum 2013; 53: 655-90.

Gago V. ¿Y que pasa con los derechos de los transespecie?
 – http://www.actuall.com/familia/y-que-pasa-con-los-derechos-trans-especies-ella-es-un-gato-atrapado-en-un-cuerpo-de-mujer/(Accedido el 8 de febrero de 2016).

García Cuadrado J A. Antropología filosófica. Pamplona: EUNSA, 2010.

Gates GJ. How many people are lesbian, gay, bisexual, and transgender? http://williamsinstitute.law.ucla.edu/wp-content/uploads/Gates-How-Many-People-LGBT-Apr-2011.pdf (Accedido el 29 de septiembre de 2015).

Gómez E, Esteva I, Bergero T. La transexualidad, transexualismo o trastorno de la identidad de género en el adulto: concepto y características básicas. C Med Psicosom 2006; 78: 7-12.

Gómez E, Trilla A, Godás A. *et al.* Estimación de la prevalencia, incidencia y razón de sexos del transexualismo en Cataluña según la demanda asistencial. Actas Españolas de Psiquiatría, 2006; 34 (5): 295-302.

Gómez Zapiaín J. Psicología de la sexualidad. Madrid: Alianza, 20014.

González JL, Puerta JL. Tecnología, demanda social y «medicina del deseo». Medicina Clínica, 2009; 133 (17): 671-5.

Gooren LJ, Giltay EJ. Man and women, so different, so similar: observations from cross-sex hormone treatment of transsexual subjects. Andrologia, 2014; 46 (5): 570-5.

Gooren LJ, Kreukels B, Lapauw B, Giltay EJ. (Phato) physiology of cross-sex hormone administration to transexual people: the potencial impact of male-female genetic differences. Andrologia, 2015; 47 (1): 5-19.

Gottlieb B, Beitel LK, Trifiro MA. Androgen insensitivity syndrome. En: Pagon RA, Adam MP, Ardinger HH, *et al.*, eds. GeneReviews 2014.
- http://www.ncbi.nlm.nih.gov/books/NBK1429/. (Accedido el 12 de febrero de 2016).

Grassi M. Questioni bioetiche nella chirurgia plastica per la modificazioni dei connotati somatici sindromici. Studia Bioethica, 2015; 8 (3): 61-5.

Guerra S, Zapata B, Fornari G. Transexualismo: aspectos éticos, legales y religiosos. Psiquiatría Forense, Sexología y Praxis, 1999; 3 (2): 1-11.
- http://www.medicinaforenseperu.org/media/documentos/20100216175836.pdf (Accedido el 21 de enero de 2016).

Hale CJ. Ethical problems with the mental health evaluation standards of care for adult gender variante prospective patients. Perspectives in Biology and Medicine, 2007; 50 (4): 491-505.

Hengstschläger M, van Trotsenburg M, Repa C, Marton E, Huber JC, Bernaschek G. Sex chromosome aberrations and transsexualism. Fertility and Sterility, 2003; 79 (3): 639-40.

Hernández M, Rodríguez G, García-Valdecasas J. Género y sexualidad: consideraciones contemporáneas a partir de una reflexión en torno a la transexualidad y los estados intersexuales. Rev Asoc Esp Neuropsiq 2010; XXX (105): 75-91.

Heyer W. «Sex change» surgery: what Bruce Jenner, Diane Sawyer, and you should know. Public Discourse, 27 de abril de 2015. http:www.thepublicdiscourse.com/2015/04/14905 (Accedido el 27 de enero de 2016).

Heyer W. The Danish girl: people aren't born transgender, but playing dress-up can spark. Public Discourse, 5 de enero de 2016. http:www.thepublicdiscourse.com/2015/01/16191 (Accedido el 27 de enero de 2016).

Heyer W. I was a transgender woman. Public Discourse, 1 de abril de 2015. http:www.thepublicdiscourse.com/2015/04/14688 (Accedido el 27 de enero de 2016).

Hill DB. Sexuality and gender in Hirschfeld's Die Transvestiten: a case of the «elusive evidence of the ordinary». Journal of the History of Sexuality, 2005; 14 (3): 316-32.

Hurtado F, Gómez M, Donat F. Transexualismo y salud mental. Revista de Psicopatología y Psicología Clínica, 2007; 1: 43-57.

Jiménez C, Rodríguez M, Motilla K, Mascareñas J. La evaluación multidisciplinaria en disforia de género: reporte de caso y revisión de la literatura. Biomedicina 2015; 1 (1): 1-11.
- http://www.imed.pub/ojs/index.php/biomed/article/view/1337/1030 (Accedido el 7 de enero de 2016).

Johnson B. Man strips in front of girls in locker room, says transgender law allows it. Life site. https://www.lifesitenews.com/news/man-strips-in-front-of-girls-in-swimming-pool-locker-says-transgender-law-a (Accedido el 22 de abril de 2016).

Johson TW, Irwig MS. The hidden World of self-castration and testicular self-injury. Nat Rev Urol, 2014; 11 (5): 297-300.

Kimura D. Cerebro de mujer y cerebro de varón. Investigación y Ciencia, 1992; 194: 76-84.

Kira K. A psycho-endocrinological overview of transsexualism. European Journal of Endocrinology, 2003; 148: 373.

Kraus C. Am I my brain or my genitals? A nature-culture controversy in the hermaphrodite debate from the mid-1960s to the late 1990s. Gesnerus, 2011; 68 (1): 80-106.

Kreukels BP, Guillamon A. Neuroimaging Studies in people with gender incongruente. Int Rev Psychiatry 2016; 28 (1): 120-8.

Laverde E. Transexualismo: un enfoque psiquiátrico. Revista de Psicología 1977-78, 22-23; 49-64.

Lee PA, Houk CP, Almed SF. Consensus atatement on Management of intersex disorders. International Consensus Conference on Intersex. Pediatrics, 2006; 118 (2): e488-500.

Lindemann J. Still quiet alter all these years. Bioethical Inquiry, 2012; 9: 249-59.

Lizarralde G. Transexualismo y Bioética. Ciencia & Salud, 2012; 1(1): 59-63.

Llano A. Ciencia y vida humana en la sociedad tecnológica. En: López Moratalla N. Deontología Biológica. Pamplona: Facultad de Ciencias de la Universidad de Navarra, 1987; 125-34.

López Azpitarte E. Simbolismo de la sexualidad humana: criterios para una ética sexual. Santander: Sal Terrae, 2001.

López-Ibor JJ, Ortiz T, López-Ibor MI. Percepción, vivencia e identidad corporal. Actas Españolas de Psiquiatría, 2011; 39 (Supl. 3): 3-118.

López Guzmán J. Deontología Farmacéutica Aplicada. Jaén: Formación Alcalá, 2014.

López Moratalla N. Deontología Biológica. Pamplona: Facultad de Ciencias de la Universidad de Navarra, 1987.

López Moratalla N, Iraburu Elizalde MJ. Los quince primeros días de una vida humana. Pamplona: Eunsa; 2004.

López Moratalla N. La identidad sexual: personas transexuales y con trastornos del desarrollo gonadal. Cuadernos de Bioética 2012; XXIII: 341-71.

López Moratalla N. Dinámica cerebral y orientación sexual. Se nace, o se hace, homosexual: una cuestión mal planteada. Cuadernos de Bioética 2012; XXIII: 385-420.

López Moratalla N, Calleja A. Transexualidad: una alteración cerebral que comienza a conocerse. Cuadernos de Bioética, 2016; XXVII: 81-92.

Macaskill G. «I was a boy.. then a girl.. now I want to be a boy again: Agony of teen who is Britain's youngest sex-swap patient». Mirror, 28 de octubre de 2012.
   – http://www.mirror.co.uk/news/uk-news/britains-youngest-sex-swap-patient-wants-1403321 (Accedido el 6 de junio de 2016).

Marcuello AC, Elósegui M. Sexo, género, identidad sexual y sus patologías. Cuadernos de Bioética 1999; 39: 459-76.

Marías J. Antropología metafísica. Madrid: Alianza Editorial, 1987.

Marías J. Persona. Madrid: Alianza, 1997.

Mazuelos J. Problemas éticos del transexualismo. Bioética y Ciencias de la Salud, 2000; 3 (4): 1-9. http://www.bioeticacs.org/iceb/seleccion_temas/sexualidad/ PROBLEMAS_ÉTICOS_DEL_TRANSEXUALISMO.pdf (Accedido el 21 de enero de 2016).

McEwen BS. Commentary permanence of brain sex differences and structural plasticity of the adult brain. Proceedings of the National Academy of Science of USA, 1999; 96: 7128-30.

McHugh P. Why we stopped doing sex change operations. http://www.firstthings. com/article/2004/11/surgical-sex (Accedido el 24 de septiembre de 2015).

Michel A, Mormont C, Legros JJ. A psycho-endocrinological overview of transsexualism. European Journal of Endocrynology, 2001; 145: 365-76.

Millot C. Exsexo. Buenos Aires: Catálogos Paradiso, 1984.

Milrod C. How young is too young: ethical concerns in genital surgery of the transgender MTF adolescent. J Sex Med, 2014; 11 (2): 338-46.

Missé M. Transsexualitats. Altres mirades posibles. Barcelona: Editorial UOC, 2013.

Money J. Ablatio penis: normal male infant sex-reassigned as a girl. Arch Sex Behav 1975; 4 (1): 65-71.

Money J. Publicado en Revista Futuros No. 14, 2006 Vol. IV. http://www.revistafuturos.info (Accedido 16.3.2015).

Monge MA (Ed.). Medicina pastoral. Pamplona: Eunsa, 2002.

Monk M. Genomic imprinting. Memories of mother and father. Nature, 1987; 328: 203-4.

Moreno-Pérez O, Esteva de Antonio I. Guías de práctica clínica para la valoración y tratamiento de la transexualidad. Grupo de Identidad y Diferenciación sexual de la SEEN (GIDSEEN) (anexo 1). Endocrinol Nutr 2012. doi: 10.1016/j.endonu. 2012/02/001.

Muñoz E. Ética y transexualismo. Grupo de Ciencia, Tecnología y Sociedad (CSIC), 2001; Documento 01-10: 4.

Murphy T. LGBT people and the work ahead in Bioethics. Bioethics, 2015; 29 (6). doi: 10.1111/bioe.12168.

Nelson JL. The silence of the bioethicists: Ethical and political aspects of managing gender dysphoria. GLQ, 1998; 4 (2): 213-30.

Nelson JL. Still quiet alter all these years: revisiting «the silence of the bioethicists». Bioethical Inquiry, 2012; 9 (3): 249-59.

Olson Kr, Key AC, Eaton NR. Gender cognition in trasgender children. Psychological Science, 2015; 26: 467-74.

Orozco G, Ostrosky-Solis F, Salin RJ, Borja KC, Castillo G. Bases Biológicas de la orientación sexual: un estudio de las emociones en transexuales. Revista Neuripsicología, Neuropsiquiatría y Neurociencias 2009; 9 (1): 9-24.

Osorio V, Alonso FJ. Síndrome de feminización testicular incompleto. Archivo Español de Urología, 2006; 59 (2): 179-182.

Pardo A. Cuestiones básicas de Bioética. Madrid: Rialp, 2010.

Parkinson J. Gender dysphoria «cured» by status epilepticus. Australas Psychiatry, 2015; 23 (2): 166-8.

Pascual F. Una reflexión sobre la transexualidad. http://www.es.catholic.net/op/ articulos/20247/cat/319/una-reflexion-sobre-la transexualidad.html (Accedido el 2 de junio de 2014).

Pelayo FJ, Carabaño I, Sanz FJ, La Orden E. Genitales ambiguos. Rev Pediatr Aten Primaria, 2011; 13 (51): 419-33.

Pera-Bajo F, Marote-González RM, Baladía-Olmedo C, García-Andrade C. Aspectos actuales de la transexualidad y su implicación médico-legal. Medicina Clínica, 2006; 126 (19): 750-3.

Person E, Ovrsey L. The transsexual syndrome in males. Am J Psychother 1974; 28: 4-20.

Pío XII. Discurso al X Congreso de Cirugía Plástica. 4 de octubre de 1958. http:// www.mercaba.org/PIO%20XII/MEDICOS/medico-16.htm (Accedido el 22 de enero de 2016).

Polaino A. Sexo y cultura. Análisis del comportamiento sexual. Madrid: Rialp, 1992.

Polo C, Olivares D. Consideraciones en torno a la propuesta de despatologización de la transexualidad. Rev Asoc Esp Neuropsiq 2011; 31 (110): 285-302.

Polo L. ¿Qué es ser consecuencialista?
– http://preguntaspolianas.blogspot.com.es/2010/09/que-es-ser consecuencialista.html (Accedido el 10 de mayo de 2016).

Preciado B. Texto Yonki. Madrid: Espasa-Calpe, 2008.

Puig M, Halperin I. Papel del endocrinólogo en el diagnóstico y tratamiento de la transexualidad. Cuadernos de Medicina Psicosomática y Psiquiatría de Enlace, 2006; 78: 24-9.

Regader B. El experimento más cruel de la historia de la Psicología: David Reimer. Psicología y Mente. http://psicologiaymente.net/psicologia/experimento-cruel-psicologia-david-reimer#! (Accedido el 25 de noviembre de 2015).

Reiner WG. Assignment of sex in neonatos with ambiguous genitalia. Currents Opinion in Pediatrics, 1999; 11: 363-5.

Reiner WG, Gearhart JP. Discordant Sexual Identity in Some Genetic Males with Cloacal Exstrophy Assigned to Female Sex at Birth. N Engl J Med 2004; 350:333-341.

Rico R. Ética de los estados intersexuales. Institut Borja de Bioètica. http://www.bioetica-debat.org/modules/news/article.php?storyid=714 (2 de marzo de 2016).

Roehr B. Comfortable in their bodies: the rise of transcender care. BMJ, 2015; 350: h3083.

Roig G, Concha ML. Impronta genómica y desarrollo embrionario. International Journal of Morphology, 2012; 30 (4): 1453-7.

Rosello M, Cabruja T. Bio-Ciencia-Ficción: la biologización de la identidad en los discursos médicos y clínicos de la transexualidad. Quaderns de Psicologia 2012; 14 (2): 111-23.

Rosenthal SM. Approach to the patient: transgender youth: endocrine considerations. J Clin Endocrinol Metab 2014; 99: 4379-89.

Salas J. Los Juegos ponen en duda la sexualidad de las atletas. El País, 9.8.2012.
– http://esmateria.com/2012/08/09/los-juegos-ponen-en-duda-la-sexualidad-de-las-atletas/(Accedido el 16 de marzo de 2015).

Sarmiento A. Entrevista en «Mundo cristiano», 2005; 111.

Schlatter J. Psicopatología de la sexualidad. En: Monge MA (Ed.). Medicina pastoral. Pamplona: Eunsa, 2002; 301-28.

Selvaggi G, Giordano S. The role of mental Elath professionals in gender reassignment surgeries: unjust discrimination or responsable care? Aesthetic Plast Surg, 2014; 38 (6): 1177-83.

Sgreccia E. Manual de Bioética II. Aspectos médico-sociales. Madrid: Biblioteca de autores cristianos, 2014.

Smith MK, Mathews B. Treatment for gender dysphoria in children: the new legal, ethical and clinical landscape. Med J Aust, 2015, 202 82): 102-4.

Soley-Beltrán P. Transexualidad y transgénero: una perspectiva Bioética. Revista de Bioética y Derecho 2014; 30: 21-39.

Spaemann R. Personas. Acerca de la distinción entre «algo» y «alguien». Pamplona: EUNSA, 2000.

Stryker S, Whittle S. The trasgender studies reader. New York: Taylor&Francis Group, 2006.

Tangpricha V, Ducharme SH, Barber TW, Chipkin SR. Endocrinologic treatment of gender identity disorders. Endocrinology Practice, 2003; 9 (1): 12-21.

The World Professional Association for Transgender Health. Standards of care for the health of transsexual, transgender, and gender nonconforming people. 7ª versión. WPATH, 2011.

Thursby K. Mike Penner dies at 52; Los Angeles Times sportswriter. Los Angeles Times, 29 de noviembre de 2009. http://articles.latimes.com/2009/nov/29/local/la-me-mike-penner29-2009nov29 (Accedido el 6 de junio de 2016).

Titus-Ernstoff L, Pérez K, Hatch EE, Troisi R, Palmer JR, et al. Psychosexual characteristics of men and women exposed prenatally to diethylstilbestrol. Epidemiology 2003;14:155-60.

Torres A, Gómez-Gil E, Vidal A, Puig O, Boget T, Salamero M. Diferencias de género en las funciones cognitivas e influencia de las hormonas sexuales. Actas Esp Psiquiatr, 2006; 34 (6): 408-15.

Usón A. Diagnóstico y tratamiento quirúrgico del transexual masculino y femenino. Zaragoza: Real Academia de Medicina, 2008.

Vargas E. Bases de la diferenciación sexual y aspectos éticos de los estados intersexuales. Rev Reflexiones, 2013; 92 (1): 141-57.

Vartabedian J. El cuerpo como espejo de las construcciones de género. Una aproximación a la transexualidad femenina. Quaderns-e de l'Institut Català d'Antropologia, 2007.
 – http://www.raco.cat/index.php/QuadernseICA/article/viewArticle/109038/0. (Accedido el 3 de marzo de 2016).

Wahlert L, Fiester A. Queer Bioethics: why its time has come. Bioethics, 2012; 26 (1): ii-iv.

Wein AJ, Campbell-Walsh. Urología. Tomo 4. Buenos Aires: Editorial Médica Panamericana, 2009.

Weisman A. ABC News Editor Don «Dawn» Ennis Comes Out As Transgender. Bussines Insider, 8 de mayo de 2013. http://www.businessinsider.com/dawn-ennis-abc-news-producer-comes-out-as-transgender-2013-5 (Accedido el 6 de junio de 2016).

Wahlert L, Fiester A. Queer Bioethics: Why its time has come. Bioethics, 2012; 26 (1). doi:10.1111/j.1467-8519.2011.01957.x.

Zhou JN, Hofman MA, Gooren LG, Swaab DF. A. sex difference in the human brain and its relation to transsexuality. Nature, 1995; 378: 68-70.

Zucker KJ, Wild J, Bradley SJ, Lowry CB. Physical attractiveness of boys with gender identity disorder. Archives of Sexual Behavior, 1993; 22 (1): 23-36.

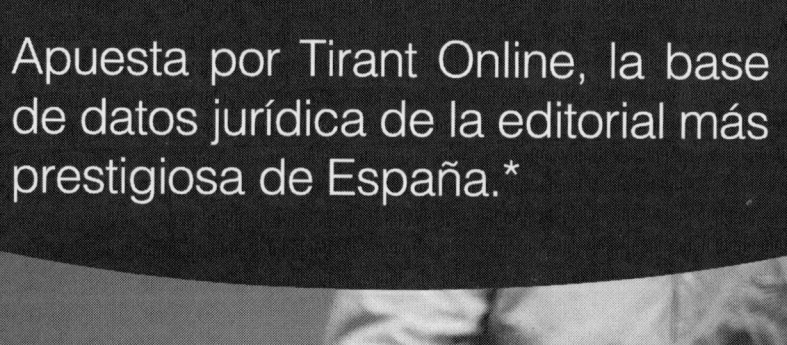